バカの壁

養老孟司

新潮社

新潮新書

養老孟司
YORO Takeshi

バカの壁

003

新潮社

まえがき

これは私の話を、新潮社の編集部の人たちが文章化してくれた本です。対談や講演を文章化するのは、よくやることです。でも独白を続けて、それを文章にしてもらったのは、じつはこれがはじめてです。話している間は、なんとなく警察の取調べを受けているような感じもしましたが、内容はたしかに自分が話したことです。それを他人に文章化してもらうと、こうなるのか、とあらためて思いました。自分の文章ともいえるし、他人の文章のようでもある。これが奇妙な効果を生じているように感じます。いってみれば、この本は私にとって一種の実験なのです。

題名の「バカの壁」は、私が最初に書いた本である『形を読む』（培風館）からとったものです。二十年も前に書いた本ですから、そのときはずいぶん極端な表現だと思われたようです。結局われわれは、自分の脳に入ることしか理解できない。つまり学問が最終的に突き当たる壁は、自分の脳だ。そういうつもりで述べたことです。

若い頃に、家庭教師で数学を教えたことがあります。数学くらい、わかる、わからないがはっきりする学問はありません。わかる人にはわかるし、わからない人にはわからない。わかる人でも、あるところまで進むと、わからなくなります。もちろん一生をかければわかるかもしれないのですが、人生は限られています。だからどこかで理解を諦める。もちろんそうしない人は、専門の数学者になるでしょう。しかしそれでも、数学のすべてを理解するわけではない。それを考えれば、だれでも「バカの壁」という表現はわかるはずだと思っています。

あるていど歳をとれば、人にはわからないことがあると思うのは、当然のことです。しかし若いうちは可能性がありますから、自分にわからないかどうか、それがわからない。だからいろいろ悩むわけです。そのときに「バカの壁」はだれにでもあるのだということを思い出してもらえば、ひょっとすると気が楽になって、逆にわかるようになるかもしれません。そのわかり方は、世間の人が正解というのと、違うわかり方かもしれないけれど、もともと問題にはさまざまな解答があり得るのです。そうした複数の解を認める社会が私が考える住みよい社会です。でも多くの人は、反対に考えているようですね。ほとんどの人の意見が一致している社会がいい社会だ、と。

若い人もそうかもしれない。なぜなら試験に正解のない問題を出したりすると、怒るからです。人生でぶつかる問題に、そもそも正解なんてない。とりあえずの答えがあるだけです。私はそう思っています。でもいまの学校で学ぶと、一つの問題に正解が一つというのが当然になってしまいます。本当にそうか、よく考えてもらいたい。

この本の中身も、世間のいう正解とは違った解をいくつも挙げていると思います。でもこの本の中身のように考えながら、ともかく私は還暦を過ぎるまで生きてきました。だからそういう答えもあるのかと思っていただければ、それで著者としては幸福です。もちろん皆さんの答えがまた私の答えとは違ったものであることを期待しているのです。

バカの壁——目次

第六章　バカの脳　125

第七章　教育の怪しさ　157

第一章　「バカの壁」とは何か

「話せばわかる」は大嘘

「話してもわからない」ということを大学で痛感した例があります。イギリスのＢＢＣ放送が制作した、ある夫婦の妊娠から出産までを詳細に追ったドキュメンタリー番組を、北里大学薬学部の学生に見せた時のことです。

薬学部というのは、女子が六割強と、女子の方が多い。そういう場で、この番組の感想を学生に求めた結果が、非常に面白かった。男子学生と女子学生とで、はっきりと異なる反応が出たのです。

ビデオを見た女子学生のほとんどは「大変勉強になりました。新しい発見が沢山ありました」という感想でした。一方、それに対して、男子学生は皆一様に「こんなことは既に保健の授業で知っているようなことばかりだ」という答え。同じものを見ても正反対といってもよいくらいの違いが出てきたのです。

これは一体どういうことなのでしょうか。同じ大学の同じ学部ですから、少なくとも偏差値的な知的レベルに男女差は無い。だとしたら、どこからこの違いが生じるのか。

その答えは、与えられた情報に対する姿勢の問題だ、ということです。要するに、男というものは、「出産」ということについて実感を持ちたくない。だから同じビデオを見ても、女子のような発見が出来なかった、むしろ積極的に発見をしようとしなかったということです。

つまり、自分が知りたくないことについては自主的に情報を遮断してしまっている。ここに壁が存在しています。これも一種の「バカの壁」です。

このエピソードは物の見事に人間のわがまま勝手さを示しています。同じビデオを一緒に見ても、男子は「全部知っている」と言い、女子はディテールまで見て「新しい発見をした」と言う。明らかに男子は、あえて細部に目をつぶって「そんなの知ってましたよ」と言っているだけなのです。

私たちが日頃、安易に「知っている」ということの実態は、実はそんな程度なのだということです。ビデオを見た際の男女の反応の差というのはかっこうの例でしょう。

「わかっている」という怖さ

「常識」＝「コモンセンス」というのは、「物を知っている」つまり知識がある、ということではなく、「当たり前」のことを指す。ところが、その前提となる常識、当たり前のことについてのスタンスがずれているのに、「自分たちは知っている」と思ってしまうのが、そもそもの間違いなのです。この場合、それが男女の違いに顕著に現れた。

女の子はいずれ自分たちが出産することもあると思っているから、真剣に細部までビデオを見る。自分の身に置き換えてみれば、そこで登場する妊婦の痛みや喜びといった感情も伝わってくるでしょう。従って、様々なディテールにも興味が湧きます。一方で男たちは「そんなの知らんよ」という態度です。彼らにとっては、目の前の映像は、これまでの知識をなぞったものに過ぎない。本当は、色々と知らない場面、情報が詰まっているはずなのに、それを見ずに「わかっている」と言う。
本当は何もわかっていないのに「わかっている」と思い込んで言うあたりが、怖いところです。

知識と常識は違う

このように安易に「わかっている」と思える学生は、また安易に「先生、説明して下さい」と言いに来ます。しかし、物事は言葉で説明してわかることばかりではない。いつも言っているのですが、教えていて一番困るのが「説明して下さい」と言ってくる学生です。

もちろん、私は言葉による説明、コミュニケーションを否定するわけではない。しかし、それだけでは伝えられないこと、理解されないことがたくさんある、というのがわかっていない。そこがわかっていないから、「聞けばわかる」「話せばわかる」と思っているのです。

そんな学生に対して、私は、「簡単に説明しろって言うけれども、じゃあ、お前、例えば陣痛の痛みを口で説明することが出来るのか」と言ってみたりもします。もちろん、女性ならば陣痛を体感できますが、男性には出来ない。しかし、それでも出産を実際に間近に見れば、その痛みが何となくはわかる。少なくとも医学書だの保健の教科書だのの活字のみでわかったような気になるよりは、何かが伝わって来るはずです。

何でも簡単に「説明」さえすれば全てがわかるように思うのはどこかおかしい、ということがわかっていない。

この例に限らず、説明したからってわかることばかりじゃない、というのが今の若い人にはわからない。「ビデオを見たからわかる」「一生懸命サッカーを見たからサッカーがどういうものかがわかる」……。わかるというのはそういうものではない、ということがわかってない。

ある時、評論家でキャスターのピーター・バラカン氏に「養老さん、日本人は、〝常識〟を〝雑学〟のことだと思っているんじゃないですかね」と言われたことがあります。私は、「そうだよ、その通りなんだ」と思わず声をあげたものです。まさにわが意を得たりというところでした。

日本には、何かを「わかっている」のと雑多な知識が沢山ある、というのは別のものだということがわからない人が多すぎる。出産ビデオの例でも、男たちは保健体育で雑学をとっくに仕込んでいるから、という理由だけで、「わかっている」と思い込んでいた。その延長線上から、「一生懸命誠意を尽くして話せば通じるはずだ、わかってもらえるはずだ」といった勘違いが生じてしまうのも無理はありません。

現実とは何か

もう少し「わかる」ということについて考えを進めていくと、「そもそも現実とは何か」という問題に突き当たってきます。「わかっている」べき対象がどういうものなのか、ということです。ところが、誰一人として現実の詳細についてなんかわかってはいない。

たとえ何かの場に居合わせたとしてもわかってはいないし、記憶というものも極めてあやふやだというのは、私じゃなくても思い当たるところでしょう。

世界というのはそんなものだ、つかみどころのないものだ、ということを、昔の人は誰もが知っていたのではないか。その曖昧さ、あやふやさが、芥川龍之介の小説『藪の中』や黒澤明監督の『羅生門』のテーマだった。同じ事件を見た三人が三人とも別の見方をしてしまっている、というのが物語の一つの主題です。まさに現実は「藪の中」なのです。

　ところが、現代においては、そこまで自分たちが物を知らない、ということを疑う人がどんどんいなくなってしまった。皆が漫然と「自分たちは現実世界について大概のことを知っている」または「知ろうと思えば知ることが出来るのだ」と思ってしまっています。

　だから、テレビで見たというだけで、二〇〇一年九月十一日にニューヨークで何が起こったか、「知っている」「わかっている」と思ってしまう。実際にはテレビの画面を通して、飛行機が二棟の高層ビルに突撃し、その結果ビルが崩壊していったシーンを見ていただけです。その後、ニュースではテロの背景についての解説も繰り返されました。

　しかし、テレビや新聞を通して一定の情報を得ただけの私たちにはわかりようもないことが沢山あるはずです。その場にいた人の感覚、恐怖だって、テレビ経由のそれとはまったく違う。にもかかわらず、ニュースを見ただけで、あの日に起きた出来事について何事かがわかったかのような気でいる。そこに怖さがあるのです。

現実のディテールを「わかる」というのは、そんなに簡単な話でしょうか。実際には、そうではありません。だからこそ人間は、何か確かなものが欲しくなる。そこで宗教を作り出してきたわけです。キリスト教、ユダヤ教、イスラム教といった一神教は、現実というものは極めてあやふやである、という前提の下で成立したものだと私は思っています。

つまり、本来、人間にはわからない現実のディテールを完全に把握している存在が、世界中でひとりだけいる。それが「神」である。この前提があるからこそ、正しい答えも存在しているという前提が出来る。それゆえに、彼らは科学にしても他の何の分野にしても、正しい答えというものを徹底的に追求出来るのです。唯一絶対的な存在があってこそ「正解」は存在する、ということなのです。

ところが、私たち日本人の住むのは本来、八百万《やおよろず》の神の世界です。ここには、本質的に真実は何か、事実は何か、と追求する癖が無い。それは当然のことで、「絶対的真実」

が存在していないのですから。これは、一神教の世界と自然宗教の世界、すなわち世界の大多数である欧米やイスラム社会と日本との、大きな違いです。

NHKは神か

私自身は、「客観的事実が存在する」というのはやはり最終的には信仰の領域だと思っています。なぜなら、突き詰めていけば、そんなことは誰にも確かめられないのですから。今の日本で一番怖いのは、それが信仰だと知らぬままに、そんなものが存在する、と信じている人が非常に多いことなのです。

ちなみに、その代表がNHKである、というのが私の持論です。NHKの報道は「公平・客観・中立」がモットーである、と堂々と唱えています。

「ありえない。どうしてそんなこと言えるんだ。お前は神様か」と言いたくもなってしまう。まあ神様とまでは言わなくても、「あなたは、イスラム教徒かキリスト教徒かユダヤ教徒なのか。そうじゃないのならば、どうしてそんな〝正しさ〟を簡単に平気で主張できるのか」と聞きたくなってしまいます。

こうした「正しさ」を安易に信じる姿勢があるというのは、実は非常に怖いことなのです。現実はそう簡単にわかるものではない、という前提を真剣に考えることなく、ただ自分は「客観的である」と信じている。

だから政治家の汚職問題、たとえば鈴木宗男氏の疑惑が生じれば、「とにかくあれは悪いヤツだ。以上。終わり」で結論付け、断罪して報道する。そこには、明らかに一種の思考停止が起こっているのですが、本人たちにはその自覚がないわけです。

ピーター・バラカン氏が言うところの「常識と雑学を混同している」とは、こういう状況を指しているのです。膨大な「雑学」の類《たぐい》の知識を羅列したところで、それによって「常識」という大きな世界が構成できるわけではない。しかし、往々にして人はそれを取り違えがちです。

では常識、コモンセンスとはどういうことでしょうか。十六世紀のフランスの思想家、モンテーニュが語っていた常識とは、簡単にいえば「誰が考えてもそうでしょ」ということです。それが絶対的な真実かどうかはともかくとして、「人間なら普通こうでしょ」ということは言えるはずだ、と。

モンテーニュは「こっちの世界なら当たり前でも向こうの世界ならそうじゃないことがある」ということを知っている人だった。もちろん「客観的事実」などを盲目的に信じてはいない。それが常識を知っているということなのです。

科学の怪しさ

ここで勘違いされやすいのが、「科学」についての考え方です。「そうはいうけど、科学の世界なら絶対があるはずでしょう」と思われるかもしれません。

実際、統計をとったわけではないのですが、科学者のおそらく九割近くは「事実は科学の中に存在する」と信じているのではないかと思います。一般の人となると、もっと科学を絶対的だと信じているかもしれません。しかし、そんなことはまったく無い。

例えば、最近では地球温暖化の原因は炭酸ガスの増加だ、というのがあたかも「科学的事実」であるかのように言われています。この説を科学者はもちろん、官公庁も既に確定した事実のようにして、議論を進めている。ところが、これは単に一つの説に過ぎない。

温暖化でいえば、事実として言えるのは、近年、地球の平均気温が年々上昇している、ということです。炭酸ガスの増加云々というのは、あくまでもこの温暖化の原因を説明する一つの推論に過ぎない。

ちなみに、温度が上昇していることも、それ自体は事実ですが、では昔からどんどん右肩上がりで上昇しているかというと確定は出来ないわけで、もしかすると現在は上下する波の中の上昇の部分にあたっているだけかもしれない。

最近、私は林野庁と環境省の懇談会に出席しました。そこでは、日本が京都議定書を実行するにあたっての方策、予算を獲得して、林に手を入れていくこと等々が話し合われた。そこで出された答申の書き出しは、「CO_2増加による地球温暖化によって次のようなことが起こる」となっていました。私は「これは〝CO_2増加によると推測される〟という風に書き直して下さい」と注文をつけた。するとたちまち官僚から反論があった。「国際会議で世界の科学者の八割が、炭酸ガスが原因だと認めています」と言う。しかし、科学は多数決ではないのです。

「あなたがそう考えることが私は心配だ」と私は言いました。おそらく、行政がこんなに大規模に一つの科学的推論を採用して、それに基づいて何かをする、というのはこれが初めてではないかと思う。その際に、後で実はその推論が間違っていたとなった時に、非常に問題が起こる可能性があるからです。

特に官庁というのは、一度何かを採択するとそれを頑として変えない性質を持っているところです。だから簡単に「科学的推論」を真理だと決め付けてしまうのは怖い。「科学的事実」と「科学的推論」は別物です。温暖化でいえば、気温が上がっている、というところまでが科学的事実。その原因が炭酸ガスだ、というのは科学的推論。複雑系の考え方でいけば、そもそもこんな単純な推論が可能なのかということにも疑問がある。しかし、この事実と推論とを混同している人が多い。厳密に言えば、「事実」ですら一つの解釈であることがあるのですが。

科学には反証が必要

ウィーンの科学哲学者カール・ポパーは「反証されえない理論は科学的理論ではない」と述べています。一般的に、これを「反証主義」と呼んでいます。

例えば、ここにいかにも「科学的に」正しそうな理論があったとしても、それに合致するデータをいっぱい集めてくるだけでは意味が無い、ということです。「全ての白鳥は白い」ということを証明するために、たくさんの白鳥を発見しても意味は無い。「黒い白鳥は存在しないのか」という厳しい反証に晒《さら》されて、生き残るものこそが科学的理論だ、ということです。

つまり、真に科学的である、というのは「理屈として説明出来るから」それが絶対的な真実であると考えることではなく、そこに反証されうる曖昧さが残っていることを認める姿勢です。

進化論を例にとれば、「自然選択説」の危ういところも、反証が出来ないところです。「生き残った者が適者だ」と言っても、反証のしようがない。「選択されなかった種」は既に存在していないのですから。

いかに合理的な説明だとしても、それは結果に過ぎないわけで、実際に「生き残らなかった者」が環境に不適合だったかどうかの比較は出来ない。

ポパーが最も良い例としてあげたのは、アインシュタインの一般相対性理論についての反証でした。この理論が実験的に検証出来るかどうかを彼は考えた。「空間が曲がっている」というアインシュタインの説は正しいのかどうか。

この検証として、具体的には日蝕の時に、星の位置を観測した人がいる。すると実際には太陽に隠れて見えないはずの星まで観測することが出来る。つまり光が曲がって伝わって来ている。それは空間が曲がっている、ということの証明になる。だから、とポパーはいいます。わずか一つのことに賭けられることの大きい理論ほど、よい理論である、と。

確実なこととは何か

このような物言いは誤解を生じやすく、「それじゃあ何も当てにならないじゃないか」と言う人が出てくる。しかし、それこそ乱暴な話で、まったく科学的ではない。

そもそも私は「確実なことなんか何一つ無い」などとは言っていない。常に私たちは「確実なこと」を探しつづけているわけです。だからこそ疑ったり、検証したりしている。その過程を全部飛ばして「確実なことは無い」というのは言葉遊びのようなものです。

「確実なことは何も無いじゃないか」と言っている人だって、実際には今晩帰宅した時に、自分の家が消え去っているなんてことは夢にも思っていない。本当は火事で全焼している可能性だって無い訳ではないのですが。全ては蓋然性《がいぜんせい》の問題に過ぎないのです。

「もう何も信じられない」などと頭を抱えてしまう必要は無いのです。そういう不安定な状態から人は時にカルト宗教に走ったりもする。

別に「全てが不確かだ。だから何も信じるな」と言っているわけではないのです。温暖化の理由が炭酸ガスである可能性は高い、と考えていてよい。毎日の天気予報では、「降水確率六〇％」という表現がされていて、それを普通に誰もが受け止めています。それと同じで、「八〇％の確率で炭酸ガスと思える」という結論を持てばよい。

ただし、それは推測であって、真理ではない、ということが大切なのです。なぜこの点にこだわるかといえば、温暖化の問題の他にも、今後、行政に科学そのものが関っていくことが多くなる可能性がある。その時に科学を絶対的なものだという風に盲信すると危ない結果を招く危険性があるからです。

付け加えれば、科学はイデオロギーでもありません。イデオロギーは常にその内部では一〇〇%ですが、科学がそうである必要はないのです。

第二章　脳の中の係数

脳の中の入出力

知りたくないことに耳をかさないい人間に話が通じないということは、日常でよく目にすることとです。これをそのまま広げていった先に、戦争、テロ、民族間・宗教間の紛争があります。例えばイスラム原理主義者とアメリカの対立というのも、規模こそ大きいものの、まったく同じ延長線上にあると考えていい。

これを脳の面から説明してみましょう。脳への入力、出力という面からです。言うまでもなく、入力は情報が脳に入ってくることで、出力は、その情報に対しての反応。入力は五感で、出力というのは最終的には意識的な出力、非常に具体的に言うと運動のことです。

運動といっても、別にスポーツのことを指しているわけではありません。話すのも運動だし、書くのも運動だし、手招きも表情も、全部運動になる。さらに言えば、入力された情報について頭の中で考えを巡らせることも入出力のひとつです。この場合、出力は脳内の運動となっていると考えればよい。

コミュニケーションという形を取る場合は、出力は何らかの運動表現になる。

脳内の一次方程式

では、五感から入力して運動系から出力する間、脳は何をしているか。入力された情報を脳の中で回して動かしているわけです。

この入力をx、出力をyとします。すると、y=axという一次方程式のモデルが考えられます。何らかの入力情報xに、脳の中でaという係数をかけて出てきた結果、反応がyというモデルです。

このaという係数は何かというと、これはいわば「現実の重み」とでも呼べばよいのでしょうか。人によって、またその入力によって非常に違っている。通常は、何か入力xがあれば、当然、人間は何らかの反応をする。つまりyが存在するのだから、aもゼロではない、ということになります。

ところが、非常に特殊なケースとしてa＝ゼロということがあります。この場合は、入力は何を入れても出力はない。出力がないということは、行動に影響しないということです。

行動に影響しない入力はその人にとっては現実ではない、ということになる。つまり、男子に「出産ビデオ」が何の感興ももたらさなかったのは、その入力に対しての係数aがゼロ（または限りなくゼロに近い値）だったからです。彼らにとっては、現実の話ではなかった。となれば、感想なんか持てるはずもありません。

虫と百円玉

同様に、イスラエルについてアラブ人が何と言おうと、さらには世界がいかに批判しようと、その情報に対しては、イスラエル人にとって係数ゼロがかかっている。だから、彼らの行動に影響しない。

逆に、イスラエルからの主張に対しては、今度はアラブ側が係数をゼロにしている。聞いているようで、聞いてなんかいないわけです。これをもう少し別な言い方をすると、係数ゼロの側にとっては、そんなものは現実じゃない、ということになってくる。

身近な別の例を挙げてみましょう。歩いていて、足元に虫が這っていれば、私だったら立ち止まるけれど、興味が無い人は完全に無視してしまう。目にも止まらない。これは、虫という情報に対しての方程式の係数が、その人にとってはゼロだから。

しかし、百円玉が落ちていると、その人は立ち止まるかもしれない。馬券が落ちていたら、「ひょっとして当たりかも」と期待して立ち止まり、拾うかもしれない。馬券については、私は止まらない。

これは、入力に出力が全然影響を受けない場合と、受ける場合がきれいに分かれているということになる。人によってその現実が違うというのは、実はaだったらaがプラスかマイナスか、あるいはa＝ゼロかの違いなのです。

無限大は原理主義

他にも身近なa＝ゼロのケースとしては、おやじの説教を全然聞かない子供、なんて場合があります。「部屋を片付けなさい」だの「宿題をちゃんとやりなさい」だの何だのとさんざん言うと、その時だけは子供もウンウンなんて相槌《あいづち》を打っているけれど、実は全然聞いていない。だから次の日、同じように悪いことをしている。

彼に対する説教の中身は、a＝ゼロになっているから、いくら入力しても行動に影響がない。おやじが怒っていたっていうのだけが入力になっていて、怒ったおやじの顔を見ると逃げたりしている。そちらの方だけは、きちんと「出力」が出来ているわけです。子供にとっての現実は「おやじの怒った顔」だけで、「おやじの説教」は現実ではない。

では、a＝ゼロの逆はというと、a＝無限大になります。このケースの代表例が原理主義というやつです。

この場合は、ある情報、信条がその人にとって絶対のものになる。絶対的な現実となる。つまり、それに関することはその人の行動を絶対的に支配することになります。

尊師が言ったこと、アラーの神の言葉、聖書に書いてあることが全てを支配する、というのは、その人にとってaが限りなく大きい、ということになります。

感情の係数

この一次方程式で、行動の大抵のことは説明できる。ここまで述べてきたことは、「わかる」ということについてでしたが、感情についても同様の説明ができます。

簡単に言えば、aがゼロより大きいという場合を好きとすると、aがゼロより小さいとき、マイナスになっているから嫌い。誰かを見た時、すなわちそういう視覚情報xが入力されて、aがプラスならば、y＝行動はプラスになる。

誰でも、親しい人とか恋人だったら喜び勇んで寄っていったり、微笑んだりするのが普通でしょう。しかし、嫌いな相手や借金取りだったらaがマイナスになって、結果としてyもマイナスになる。道の反対側に脱兎の如く逃げていくか、殴りかかるか、嫌な顔をするか、ともかくマイナスの行動をするわけです。

行動にはプラスマイナスがある。つまり、aがプラス一〇にもなれば、マイナス一〇にもなる。脳はそういうふうに動いていて、行動に繋がるのです。

感情という面でいっても、アメリカ人が、テロリストの親玉、ウサマ・ビンラディンを見た時には、マイナスの係数が大きいから、怒り、憎しみといった感情を持つ。逆に、同じ人を見ても、おそらくイスラム原理主義者にとってaは大きくプラスになっている。

一般に、人を非難しているときは、マイナスの思いがあるということです。ただ、一方で本気で非難しているということは、少なくともその対象を現実だと思っているということです。

a＝ゼロではない。だからこそ、行動が相当変わる。憎んでいるとか、嫌っているというのは、その情報を現実としてきちんと認識している、ということになります。

適応性は係数次第

男女関係の好き嫌いを考えれば非常にわかりやすい。ずっと嫌いだったはずの人といつの間にか付き合っていた、なんて話はよく聞きます。嫌よ嫌よも好きのうち、なんてのも似たようなものです。

これは、要するにベクトルの向きが逆になるから好きになったということ。a＝ゼロ、無関心の場合、こうはなりません。相手にはなから興味が無い、現実として捉えていないのですから。「眼中にない」とはまさにこの状態です。

aの値がどう出るかによって、ある状況において、その人が適しているか、適していないかということも基本的に決まってくると考えられる。aの値が適切であれば環境適応性があるし、不適切であればその環境には合わないということです。

「この会社にはどうしても合わないから辞める」というのは、その人のaの値が、所属している会社という環境からの入力に対してどうもうまくいっていない。うまい値に設定されていないということになる。

まあ、どの会社に行ってもすぐ辞めるとなると、その人はそもそも「会社」というところから共通して発信される情報に対して常に適切なaの値を設定出来ていない、ということになります。「おやじの説教」を聞き流すのと同じように、「上司の指導」について常にゼロで反応する若者は、もはや会社に向いていない。

たとえマイナスであっても、コミュニケーションにおいては、aが存在していた方がいいのは間違いない。マイナスというのは救いようがあるということです。会社の例でいえば、ゼロだったらどうしようもない。

オセロゲームみたいなものだから、マイナスがたまっているのが、急にぱっとプラスに転化するなんてこともある。

宗教は、基本的にマイナスをプラスに転ずることが出来る、という論理を持っている。キリスト教で登場するところの放蕩息子が改心する、という類のエピソードはその例です。何かのきっかけ、ここでは神に出会ったとかそういうことでマイナス一〇が突如プラス一〇になる。

一方で、宗教も原理主義までいけば無限大となるから、「絶対的な真理」を強要するようになって、テロにまで繋がってしまう。そこにはコミュニケーションは無いわけです。

このa＝ゼロとa＝無限大というのは現実問題として、始末が悪い。テロは無限大の悪い形の表れです。かつて青年将校たちは自らの信念のため、問答無用で相手を殺したわけですから。

普通に私たちの周辺にいる人間は、そこまで極端な人は少ない。あまりゼロとか無限大ばかりだと、社会生活を送れません。でも、数学では特殊なケースというのは必ず扱わないといけない。論理的に考えれば、存在するケースについては考えなくてはいけないからです。だから、ゼロも無限大も考える。どちらも大抵の場合、タチが悪い出力＝結果を招くことは間違いない。

基本的に世の中で求められている人間の社会性というのは、できるだけ多くの刺激に対して適切なaの係数を持っていることだといえる。もちろん、その中にはゼロであることが正しい係数、ということだってあるでしょう。街を歩いている最中、ずっと電柱に反応しつづけたって仕方が無いのですから。

昨今、ＥＱ（感情指数）という言葉をよく耳にしますが、これは簡単に言えば、感情、情動ということでしょう。情動というのは、脳の仕組みから捉えれば、入力に対して適切な重みづけが出来る、ということなのです。

ここで述べたことはヘリクツでも極論でもない。脳も入出力装置、いわゆる計算機と考えたら当たり前です。普通はそう考えてないから、一次方程式に置き換えると違和感がある。人間はどうしても、自分の脳をもっと高級なものだと思っている。実際には別に高級じゃない、要するに計算機なのです。

第三章　「個性を伸ばせ」という欺瞞

共通了解と強制了解

「わかる」ということについて、もう少し考えてみます。一口に「わかる」と言っても、その中身は色々です。ここでは「共通了解」と「強制了解」という分け方で考えてみましょう。基本的に言語は「共通了解」、つまり世間の誰もがわかるための共通の手段です。この言語のなかから、さらにもっとも共通な了解事項を抜き出してくると「論理」になったり、「論理哲学」になったり、さらに「数学」となったりします。

数学というのは、証明によって、いやが応でも「これが正しい」と認めさせられる論理です。もはやこれは「強制了解」という領域になります。数学的に証明をされてしまうと、とにかく結論を認めざるを得ないわけです。

この数学に、自然科学では「実証」という要素を加えました。実験室で調べてみたらこういう結論になりました、と言われるともっと認めざるを得ない。逆らいようがない。強制的に認めさせられることになる。これは「実証的強制了解」と呼ぶことが出来ます。

人間の脳というのは、こういう順序、つまり出来るだけ多くの人に共通の了解事項を広げていく方向性をもって、いわゆる進歩を続けてきました。マスメディアの発達というのは、まさに「共通了解」の広がりそのものということになります。

マスメディアによって、かつては考えられなかったくらい多くの人間が同じシーンを見る、という事態が発生してきた。言語だけではなく、マスメディアのおかげで、多くの人がある事象について、共通の情報を受けるようになったのです。共通了解が、多くの人とわかり合えるための手段だということを考えれば、それが発展していくことは自然な流れでしょう。

ところが、どういうわけか、そうした流れに異を唱える動きがあります。「個性」の尊重云々というのがその代表です。

このところとみに、「個性」とか「自己」とか「独創性」とかを重宝する物言いが増えてきた。文部科学省も、ことあるごとに「個性」的な教育とか、「子供の個性を尊重する」とか、「独創性豊かな子供を作る」とか言っています。

しかし、これは前述した「共通了解」を追求することが文明の自然な流れだとすれば、おかしな話です。明らかに矛盾していると言ってよい。多くの人にとって共通の了解事項を広げていく。これによって文明が発展してきたはずなのに、ところがもう片方では急に「個性」が大切だとか何とか言ってくるのは話がおかしい。

個性ゆたかな精神病患者

大体、現代社会において、本当に存分に「個性」を発揮している人が出てきたら、そんな人は精神病院に入れられてしまうこと必至。

想像してみればおわかりでしょう。人が笑っているところで泣いていて、お葬式で泣いているところで大笑いしてしまうような人。それで「どうして」と聞かれても理由が答えられない。

明らかに他の普通の人たちとは違う、「個性」を存分に発揮しています。しかし、そんな人がいたら、それはたちまち病院に送られてしまうこと必至です。

精神病院に行けばまったくもって個性的な面々揃いです。私の知っている患者には、白い壁に、毎日、大便で名前を書く人もいた。それを芸術的な創造行為とすれば、凄いかもわからない。おそらく現代芸術の世界でもまだ誰も挑戦していないジャンルであるには違いない。が、現実問題として迷惑でたまらない。

そんなことはわかりきっているはずなのに、誰が「個性を伸ばせ」とか「オリジナリティを発揮しろ」とか無責任に言いだしたのでしょうか。この狭い日本において、本当にそんなことが求められているのか。

混んだ銭湯でオリジナリティを発揮されたら困るだけ、と私は常々言っているのですが……。

そんなことも考えずに、ひたすら個性を美化するというのはウソじゃないか、と考えることこそが「常識」だと思うのです。考えたら当たり前のこと、なのです。

個性が大事だといいながら、実際には、よその人の顔色を窺ってばかり、というのが今の日本人のやっていることでしょう。だとすれば、そういう現状をまず認めるところからはじめるべきでしょう。個性も独創性もクソも無い。

マニュアル人間

「個性」を発揮せよと求められるのは、子供に限りません。学者の世界でも同じです。学問の世界でも、やたらに個性個性と言うわりには、論文を書く場合には、必ず英語で書け、と言われる。

学術論文には「材料と方法」という欄があります。論文を書くにあたっては、その言語も、「方法」の基礎のはず。ところが、学者の世界では大概、英語を共通語として、それを使うように求められる。一体どこが個性なのでしょうか。

英語で書かなくてはいけないという規則は存在しません。しかし、「英語で書かないと評価されない」と言う人がいます。そもそも誰が評価されないといけない、などと決めたのかもわからないのですが。

今の若い人を見ていて、つくづく可哀想だなと思うのは、がんじがらめの「共通了解」を求められつつも、意味不明の「個性」を求められるという矛盾した境遇にあるところです。会社でもどこでも組織に入れば徹底的に「共通了解」を求められるにもかかわらず、口では「個性を発揮しろ」と言われる。どうすりゃいいんだ、と思うのも無理の無い話。

要するに「求められる個性」を発揮しろという矛盾した要求が出されているのです。組織が期待するパターンの「個性」しか必要無いというのは随分おかしな話です。

皮肉なことに、この矛盾した要求の結果として派生してきたのが、「マニュアル人間」の類です。要は、「私は、個性なんかを主張するつもりはございませんが、マニュアルさえいただければ、それに応じて何でもやって見せます」という人種。これは一見、謙虚に見えて、実は随分傲岸不遜な態度なのです。

「自分は本当は他人と違うのですが、あなたがマニュアル=一般的なルールをくれれば、いかなるものであろうとも、それを私はこなしてみせましょう」という態度なのですから。こういう人は、ご自分のことを随分全人的な人間、すなわちあらゆる面でバランスがとれていて、何にでも対応できる人間だと思っているのではないでしょうか。

私自身は、マニュアル通りになんかとても出来ないし、読む気もしない。最初からそんな気は無い。しかし、具体的に仕事をやれば、どういう手順がいいのかなんてことは、わかってくるものなのです。

私が昆虫の標本を作る際に、昆虫から交尾器を抜く必要が生じることがある。その場合には、カラカラに乾いた虫の交尾器をいったん柔らかくして元に戻して、体から抜くのが楽です。

本来はとってきたばかりの虫から抜くのが一番いい。そうすれば、跡形もなく綺麗に抜けて、後から元に戻すことも出来る。だから虫を取ってくるとすぐに抜くという作業をするわけです。この作業には、家庭で洗濯に使っている漂白剤を使用すればいいのですが、それも経験上、わかってきたことです。

こんな手順のマニュアルなんかどこにも存在していません。しかし、こうしなくては駄目なことはわかっている。そして硬くなった虫はこうして柔らかくする、というのも、仕事をやっていくうちにわかることなのです。

「個性」を発揮すると

今、問題にしている「個性」を私が持っていたらどうなるか。つまり、私が極めて個性的な意見の持ち主で、それを人に伝えようとしている場合を考えてみる。

その場合、自分にとってのみ最も適切な言葉遣いで人にしゃべりかけると、多分、誰も聞いてないということになる。最も適切だと思う言葉が、今なら自然科学について語る場合、英語になる。そうすると、私が自然科学の話をするのは、英語でしゃべるのが当たり前になるはずでしょう。

が、そんなことをしたら、おそらく日本人の誰も聞いてくれません。仮にペルシャ語でしゃべるほうがもっと適切だと思って、講演会でそんなことをやった日には聴衆なんか一人もいなくなって、私を見つけるのは演台の上ではなくて救急車の担架の上、ということになる。

繰り返しますが、本来、意識というのは共通性を徹底的に追求するものなのです。その共通性を徹底的に確保するために、言語の論理と文化、伝統がある。

人間の脳の特に意識的な部分というのは、個人間の差異を無視して、同じにしよう、同じにしようとする性質を持っている。だから、言語から抽出された論理は、圧倒的な説得性を持つ。論理に反するということはできない。

松井、イチロー、中田

では、脳が徹底して共通性を追求していくものだとしたら、本来の「個性」というのはどこにあるか。それは、初めから私にも皆さんにもあるものなのです。

なぜなら、私の皮膚を切り取ってあなたに植えたって絶対にくっつきません。親の皮膚をもらって子供に植えたって駄目です。無理やりやるとすれば、免疫抑制剤を徹底的に使うなんてことをしないと成功しません。

皮膚ひとつとってもこんな具合です。すなわち、「個性」なんていうのは初めから与えられているものであって、それ以上のものでもなければ、それ以下のものでもない。

産みの親とだって、それだけ違うのに、何で安心して、違う人間に決まっていると言えないのか。逆に意識の世界というのは、互いに通じることを中心としている。もともと人間、通じないものを持っているに違いない。だから、アラブとイスラムの考えはわかるけれど、そういう「個」というものを表に出した文化というのは、必ず争いごとが起きている。

こう考えていけば、若い人への教育現場において、おまえの個性を伸ばせなんて馬鹿なことは言わない方がいい。それよりも親の気持ちが分かるか、友達の気持ちが分かるか、ホームレスの気持ちが分かるかというふうに話を持っていくほうが、余程まともな教育じゃないか。

そこが今の教育は逆立ちしていると思っています。だから、どこが個性なんだ、と私はいつも言う。おまえらの個性なんてラッキョウの皮むきじゃないか、と。

逆に今、若い人で個性を持っている人はどういう人かを考えてみてください。真っ先に浮かぶ名前は、野球の松井秀喜選手やイチロー選手、サッカーの中田英寿選手あたりではないでしょうか。要するに身体が個性的なのです。

彼らのやっていることは真似できないと誰でも思う。それ以外の個性なんてありはしません。

彼らの成功の要因には努力が当然ありますが、それ以上に神様というか親から与えられた身体の天分があったわけです。誰か二軍の選手がイチローの十倍練習したからといって、彼に追いつけるというようなものではない。私たちには、もともと与えられているものしかないのです。

第四章　万物流転、情報不変

私は私、ではない

このように考えれば、「個性」は脳ではなく身体に宿っている、というのは当然のことです。が、それが現在ではまったく逆転して受け止められている。非常に似た勘違いが、「情報」についての受け止め方でも往々にして見られます。

一般に、情報は日々刻々変化しつづけ、それを受け止める人間の方は変化しない、と思われがちです。情報は日替わりだが、自分は変わらない、自分にはいつも「個性」がある、という考え方です。しかし、これもまた、実はあべこべの話です。

少し考えてみればわかりますが、私たちは日々変化しています。ヘラクレイトスは

「万物は流転する」と言いました。人間は寝ている間も含めて成長なり老化なりをしているのですから、変化しつづけています。

昨日の寝る前の「私」と起きた後の「私」は明らかに別人ですし、去年の「私」と今年の「私」も別人のはずです。しかし、朝起きるたびに、生まれ変わった、という実感は湧きません。これは脳の働きによるものです。

脳は社会生活を普通に営むために、「個性」ではなく、「共通性」を追求することは既に述べました。これと同様に、「自己同一性」を追求するという作業が、私たちそれぞれの脳の中でも毎日行われている。それが、「私は私」と思い込むことです。こうしないと、毎朝毎朝別人になっていては誰も社会生活を営めない。

では、逆に流転しないものとは何か。実はそれが「情報」なのです。ヘラクレイトスはとっくに亡くなっていますが、彼の遺した言葉「万物は流転する」はギリシャ語で一言一句変わらぬまま、現代にまで残っている。彼に「あなたの〝万物は流転する〟という言葉は流転したのですか」と聞いたら何と答えるのでしょう。

このように永遠に残ってしまう言葉を情報と呼びます。情報は絶対変わらない。私がインタビューを受けたとして、同じ聞き手に同じように聞かれても、話すたびに内容は微妙に変化します。しかし、話した内容を収めたテープの中身は変わらない。生き物と情報との違いはまさにこれです。

自己の情報化

生き物というのは、どんどん変化していくシステムだけれども、情報というのはその中で止まっているものを指している。万物は流転するが、「万物は流転する」という言葉は流転しない。それはイコール情報が流転しない、ということなのです。

流転しないものを情報と呼び、昔の人はそれを錯覚して真理と呼んだ。真理は動かない、不変だ、と思っていた。実はそうではなく、不変なのは情報。人間は流転する、ということを意識しなければいけない。

現代社会は「情報化社会」だと言われます。これは言い換えれば意識中心社会、脳化社会ということです。

意識中心、というのはどういうことか。実際には日々刻々と変化している生き物である自分自身が、「情報」と化してしまっている状態を指します。意識は自己同一性を追求するから、「昨日の私と今日の私は同じ」「私は私」と言い続けます。これが近代的個人の発生です。

近代的個人というのは、つまり己を情報だと規定すること。本当は常に変化＝流転していて生老病死を抱えているのに、「私は私」と同一性を主張したとたんに自分自身が不変の情報と化してしまう。

だからこそ人は「個性」を主張するのです。自分には変わらない特性がある、それは明日もあさっても変わらない。その思い込みがなくては「個性は存在する」と言えないはずです。

『平家物語』と『方丈記』

脳化社会にいる我々とは違って、昔の人はそういうバカな思い込みをしていなかった。なぜなら、個性そのものが変化してしまうことを知っていたからです。

昔の書物を読むと、人間が常に変わることと、個性ということが一致しない、という思想が繰り返し出てくる。『平家物語』の書き出しはまさにそうです。「祇園精舎の鐘の声、諸行無常の響きあり」という文から、どういうことを読み取るべきか。鐘の音は物理学的に考えれば、いつも同じように響く。しかし、それが何故、その時々で違って聞こえてくるのか。それは、人間がひたすら変わっているからです。聞くほうの気分が違えば、鐘の音が違って聞こえる。『平家物語』の冒頭は、実はそれを言っているのです。

『方丈記』の冒頭もまったく同じ。

「ゆく河の流れは絶えずして、しかももとの水にあらず」

川がある、それは情報だから同じだけど、川を構成している水は見るたびに変わっているじゃないか。「世の中にある、人と栖《すみか》と、またかくのごとし」。人間も世界もまったく同じで、万物流転である。

中世の代表的な名作の両方ともが冒頭からこういう世界観を書き出している。ということは、中世が発見した基本的な概念がそういうことだった、と考えられる。

では、中世以前はどうか。平安時代というのは、まさに都市の世界です。人間が頭の中で作った碁盤の目のような都市が作られている。今の我々とよく似た時代です。
その時代には、きっと「私は私だ。変わらぬものだ」と藤原道長あたりが言っていたに違いない。しかし、実はそうではない。人生は万物流転なのです。

「君子豹変」は悪口か

先日、講演に行った際の話です。控室にいらっしゃった中年の男性が、「私は、君子豹変というのは悪口だと思っていました」と言っていた。もちろん、実際にはそうではありません。

「君子豹変」とは「君子は過ちだと知れば、すぐに改め、善に移る」という意味です。では何故彼はそう勘違いしたか。「人間は変わらない」というのが、その人にとっての前提だからです。

いきなり豹変するなんてとんでもない、と考えたわけです。現代人としては当然の捉え方かもしれません。

「男子三日会わざれば刮目《かつもく》して待つべし」という言葉が、『三国志』のなかにあります。

三日も会わなければ、人間どのくらい変わっているかわからない。だから、三日会わなかったらしっかり目を見開いて見てみろということでしょう。

しかし、人間は変わらない、と誰もが思っている現代では通用しないでしょう。刮目という言葉はもう一種の死語になっている。

いつの間にか、変わるものと変わらないものとの逆転が起こっていて、それに気づいている人が非常に少ない、という状況になっている。いったん買った週刊誌はいつまで経っても同じ。中身は一週間経っても変わりはしません。

情報が日替わりだ、と思うのは間違いで、週刊誌でいえば、単に毎週、最新号が出ているだけです。

西洋では十九世紀に既に都市化、社会の情報化が成立し、このおかしさに気が付いた人がすでにいた。カフカの小説『変身』のテーマがこれです。主人公、グレゴール・ザムザは朝、目覚めると虫になっている。それでも意識は「俺はザムザだ」と言い続けている。

変わらない人間と変わっていく情報、という実態とは正反対のあり方で意識されるようになった現代社会の不条理。それこそが、あの小説のテーマなのです。

「知る」と「死ぬ」

人間は変わる、ということについていえば、学生たちを教えているとしみじみ思うのが、彼らは勉強しないという以上に、勉強するという行為の意味を殆ど考えたことがないのではないか、ということです。それをしみじみ感じる。

勉強するということは、少なくとも知ることとパラレルになっている。知ることとイコール勉強することではないが、非常に密接に関係があるのは当然です。

ところが、あるときから、知るということの意味や捉え方が何か違ってきたんじゃないかな、と思えてならなくなってきた。

私は東大を辞める少し前まで、東大出版会の理事長をやっていた。その時に一番売れた本が『知の技法』というタイトルでした。知を得るのにあたかも一定のマニュアルがあるかのようなものが、東大の教養の教科書で出ている。

気に入らない。それで、何でこんな本が売れやがるんだ、と思って、出版会の中で議論したことがある。結局、答えが得られない。私以外は、そんなことを気にしてはいなかったのでしょう。

その後、自分で一年考えて出てきた結論は、「知るということは根本的にはガンの告知だ」ということでした。学生には、「君たちだってガンになることがある。ガンになって、治療法がなくて、あと半年の命だよと言われることがある。そうしたら、あそこで咲いている桜が違って見えるだろう」と話してみます。

この話は非常にわかり易いようで、学生にも通じる。そのぐらいのイマジネーションは彼らだって持っている。

その桜が違って見えた段階で、去年までどういう思いであの桜を見ていたか考えてみろ。多分、思い出せない。では、桜が変わったのか。そうではない。それは自分が変わったということに過ぎない。知るというのはそういうことなのです。

知るということは、自分がガラッと変わることです。したがって、世界がまったく変わってしまう。見え方が変わってしまう。それが昨日までと殆ど同じ世界でも。

「朝に道を聞かば……」

昔の人は、学ぶ、学問するとは、実はそういうことだと思っていた。だから、君子は豹変した。男子三日会わざれば……だった。

これに一番ふさわしい言葉が『論語』の「朝《あした》に道を聞かば、夕《ゆうべ》に死すとも可なり」。道を聞くというのは、学問をして何かを知るということです。

朝、学問をして知ったら、夜、死んでもいいなんて、無茶苦茶な話だ、と思われるでしょう。私も若い時には何のことだかまったくわからなかった。しかし、「知る」ということについて考えるうちに気がついた。

要するに、ガンの告知で桜が違って見えるということは、自分が違う人になってしまった、ということです。去年まで自分が桜を見てどう思っていたか。それが思い出せない。つまり、死んで生まれ変わっている。

そういうことを常に繰り返していれば、ある朝、もう一度、自分ががらっと変わって、世界が違って見えて、夕方に突然死んだとしても、何を今さら驚くことがあるか。絶えず過去の自分というのは消されて、新しいものが生まれてきている。

そもそも人間は常に変わりつづけているわけですが、何かを知って生まれ変わり続けている、そういう経験を何度もした人間にとっては、死ぬということは特別な意味を持つものではない。現に、過去の自分は死んでいるのだから。そういう意味だと思うのです。

しかし、おそらく「朝に道を聞かば……」なんてことは、今の人にはまったくわからない。自分は不変で情報が変化するから、です。

いい例が名前です。現代では名前を一切変えなくなりました。昔は、幼名から元服して、名前を頻繁に変えていった。「名実ともに」という言葉にはその状態がよく出ている。つまり、人間自体が変わるものだという前提に立っていれば、名前は本人の成長に伴って変わって当たり前なのです。五歳の自分と二十歳の自分は違うのだから、名前が変わっても不思議は無い。

逆に言えば、社会制度が固定されて、社会的役割が固定されてくれば、今度は襲名ということが当然出てくる。父親がやっていた仕事と同じ仕事を継ぐのであれば、父親と同じ名前のほうが社会的にははるかに便利。ですから、歌舞伎の世界でいえば、人は変わっても何回も「菊五郎」が登場していい。

そこの前提が変わってきたために、我々の日常生活も変わってきた。例えば、約束というととに対する感覚が根本的に違います。

武士に二言はない

もし、現代人に、「人は変わる」ということだけをたたき込んだら何が起こるかというと、「きのう金を借りたのは俺じゃない」と、都合のいい解釈をするだけです。借りるということは、返すという約束が前提にある。本来、約束を守れというのは社会でトップに来るルールのはずでした。

人間は変わるが、言葉は変わらない。情報は不変だから、約束は絶対の存在のはずです。しかし近年、約束というものが軽くなってしまった。

これも繰り返し言うところの「あべこべ」の表れです。変わるはずのものが変わらなくなって、変わらないはずのものが変わってしまった。

だから、約束を守るなんていうことを小学校の先生も言わなくなったし、子供たちは友達同士で言わなくなった。指切りげんまんが、どんどん廃れていくのも無理はない。

大人の社会を見ればもっとわかりやすい。政治家は公約なんか屁とも思っていない。全部嘘つきになった。受け止めるこちらの方も、彼らの公約なんてものはすぐに変わるものだ、と承知している。

これも約束が軽くなった、すなわち情報は変化する、という勘違いから生まれた最たる例です。政治家は誠心誠意その時々で公約を言うのだけれど、自分の言ったことにこだわっちゃいけない、と思っている。言ったことはどうせ変わっていくのだ、「情報」の類に過ぎないから。でも、選挙で当選した自分は不変なんだからそれでいいじゃないか、と。

人間は変わるのが当たり前。だから昔は「武士に二言はない」だった。武士の口が重かったのは、恰好をつけていたからではない。うっかり言ったら大変だからです。

武士は下手な約束をして守れなかったら命に関る。責任を持とうと思えば、要するに責任の重い人ほど口が重くなった。綸言《りんげん》汗の如し、ということです。

約束、言葉が軽くなった理由は、同じ人なんだから、言うことは変わるはずがないだろうという前提がいつの間にかできてしまったところにある。

ケニアの歌

言葉＝情報よりも人間が不変だ、というところから人間の方に重きを置いてみるようになった。こういうふうに無意識というのは知らないうちに動いてしまう。そして前提がひっくり返ると、それから後の人はひっくり返ったということにはもはや気がつかないものなのです。

ケニアのツルカナ族という部族の村にテレビの取材で行ったことがあります。本格的な取材の前日に、ディレクターが、トウモロコシ三袋と、かみたばこ三キロを持っていくと約束した。そして実際、彼は翌日に約束の品を持って行った。

すると、成人男子は村にはいない。遊牧民だから、みんな牛を連れて山に行ってしまっている。いるのは、じいさん、ばあさん、子供だけです。要するに、女、子供、年寄りがいる。その連中が、歌って踊って我々を大歓迎している。通訳に、彼らが何と言って歌っているのか、翻訳してもらった。

その歌は、こういう歌詞でした。

「この間、選挙で投票して当選した人は、あれもする、これもするっていろんな約束したけど、何にもしない。きのう、お土産を持ってくるって約束したお客はちゃんと持ってきた」

我々からすれば、まだ自然の中で生活している、都市化されていないはずの彼らの世界ですら、すでに約束についての概念が日本の政界と変わらなくなっている。脳化＝都市化が世界中に広がっているわけです。

共通意識のタイムラグ

世の中が曲がった理由の一つは、この「あべこべの状態」について自覚が無いからでしょう。意識中心の世界ゆえの状況だと思う。

生きている人間というのはひたすら変わっていくのに、俺は「不変の情報だ」と頑張る人。個性尊重という言葉はここから出てくるわけです。

意識の世界や心の世界に関しては、感情であろうが、理屈であろうが、共通であることを前提にする以外あり得ない。それがお互いに話をすることの意味であり、説明することの意味だからです。だから、本来、意識の世界の中に個性を持ち込まれたらどうしようもない。

もちろん、共通性を追求するといっても、その時代の人間全員が、一斉に共通の認識を持つようになるわけではない。タイムラグは必ず存在します。

モーツァルトは、最初に発表されたときは、これが音楽かという批判もあったそうです。当時としては最先端だったので、すぐに皆に理解されたわけではない。

しかし、それは後に西洋音楽の一種のシンボルになった。基本的には、時間さえたてば、完全に理解されるということでしょう。徐々にか、猛スピードでかはケース・バイ・ケースですが、共有化されていく。

意識にとっては、共有化されるものこそが、基本的には大事なものである。それに対して個性を保証していくものは、身体であるし、意識に対しての無意識といってもいい。

今の人は夢にもそう思ってない。それどころか、まったく逆に、意識の世界こそが個性の源だと思っている。それだったら、松井選手や長嶋さんの個性は、どう説明されるというのか。個性は意識に宿っていると思うから、長嶋さんに喋らせようとする。彼の場合、喋っても個性的ではありますが。

個性より大切なもの

ここが現代社会が見落としている、つまり「壁」を作ってしまった大きな問題点だと思っています。人間は変わらないという誤った大前提が置かれているという点、そしてそれにあまりに無自覚だという点。

本来、こんなことはだれだって気がつくはずなのです。現に、国語の時間に『方丈記』だって、『平家物語』だって読ませているはずです。しかし、読ませている肝心の先生のほうが意味がわかっていない。

昔の人はおそらくはそれを意識しないで、もう体の中にあったということなのです。そんなことを、難しく突き詰めて考えなくても当たり前に受け止めていた。それは、今の人が情報は日替わりで、自分は変わらなくて、個性を持っているのは当たり前だろうと思っているのと同じなんです。当たり前なんていうことはどんどん変わるものなのです。

もちろん、自分は自分だという考え方に、ある真実性が入っていないと困るということは間違いない。死ぬまで一個の個体ではあるし、確かに自分は自分です。遺伝子も一生変わらない。それは同じでしょうと言われれば、その通りなのです。

しかし、人と情報、両者の本質的な特性を比較して考えれば、大きく見て変わらないのがどちらであるかは明らかでしょう。だから、若い人には個性的であれなんていうふうに言わないで、人の気持ちが分かるようになれというべきだというのです。

むしろ、放っておいたって個性的なんだということが大事なのです。みんなと画一化することを気にしなくてもいい。

「あんたと隣の人と間違えるやつ、だれもいないよ」と言ってあげればいい。顔が全然違うのだから、一卵性の双生児や、きんさん、ぎんさんじゃない限り、分かるに決まっている。「自分の個性は何だろう」なんて、何を無駄な心配してるんだよと、若い人に言ってやるべきです。

それより、親の気持ちがわからない、友達の気持ちがわからない、そういうことのほうが、日常的にはより重要な問題です。これはそのまま「常識」の問題につながります。それはわかり切っていることでしょう。その問題を放置したまま個性と言ってみたって、その世の中で個性を発揮して生きることができるのか。他人のことがわからなくて、生きられるわけがない。社会というのは共通性の上に成り立っている。人がいろんなことをして、自分だけ違うことをして、通るわけがない。当たり前の話です。

意識と言葉

意識が自己同一性なり共通性なりを求めるものであることの代表例が言葉だということは既に記しました。この問題は、特に西洋ではギリシャ哲学の昔から考えられていま す。

そして、ここから、日本人には理解しづらい「定冠詞と不定冠詞」の違い、つまり「the（定冠詞）」と「a（不定冠詞）」の違いも分かってきます。意識の共通性を考える上で、ここでは言葉を脳がどう処理しているかを考えてみましょう。

例えば「リンゴ」という言葉を考えてみます。リンゴという言葉を全員に書かせると、全員が違う字を書く。当たり前です。私の字とあなたの字は違う。

そして、活字にしても、明朝だ、ゴシックだと書体が違うこともあるし、同じ活字で印刷しても厳密にいえば、拡大すると紙の繊維が出てきて、インクの微妙な乗り方の差が出てきます。すべてのリンゴという字は違う字です。

では、どこに正しいリンゴという字があるか。そんなものは存在しません。

音声にしても同じことです。英語の正しい発音なんて言っているけれど、それじゃあほんとうに正しい英語の発音をしてみろといったら、それはその人の発音にしか絶対ならない。ネイティブの発音だって人それぞれどこか違う。

「apple」を「アップル」と言うか「アポゥ」というか「アッポウ」と言うか、同じ発音をしているつもりでもそれぞれ異なる。

同じ人間が同じ言葉を同じように発音したつもりでも、インクの乗り同様、やはりどこかが違うのです。しかし、我々はそれを同じリンゴとして、全員が了解している。

私の知る限り、この問題を最初に議論したのがプラトンです。彼は何と言ったかというと、リンゴという言葉が包括している、すべてのリンゴの性質を備えた完全無欠なリンゴがある。それをリンゴの「イデア」と呼ぶのだ、と。

そして、具体的な個々のリンゴは、その「イデア」が不完全にこの世に実現したものだと言ったのです。つまり、言葉は意識そのもの、それから派生したものなのです。

プラトンが言いたいのは平たく言えばこういうことです。

「おかしいじゃないか。リンゴはどれを見たって全部違う。なのに、どれを見たって全部違うリンゴを同じリンゴと言っている以上、そこにはすべてのリンゴを包括するものがなきゃいけない」

この包括する概念を彼は「イデア」と定義したのです。

プラトンはこのように全部包括する概念を考えた。では、我々がリンゴという言葉を文字に書いても、音声にしても、全部違うのに、それを同じリンゴだと言っているのはなぜか。

それは、まさに我々が意識の中で、全てを同一のものだと認識することが出来るゆえに起こる現象なのです。

本来なら、外の世界は感覚で吟味する限り、全てのものが違う。あらゆるリンゴは全部違っている。さっきの文字の話と同じ。あらゆる人間は違った人間なのと同じです。ということは、そこに「人間」という言葉は、本当ならば使えないはずです。全部が違うことを厳密に考えれば。

脳内の「リンゴ活動」

ではなぜ意識は、それを無視して、「同じ」リンゴだ、と認識する機能を持たなくてはいけないのか。脳が、それぞれの情報の同一性を認めないことになると、世界はバラバラになってしまうからです。耳から認識した世界と目から見た世界が別ではしようがない。だから同じだと脳=意識は言わざるを得ない。

リンゴという言葉を聞いて、または文字を見て、頭の中には「リンゴ活動」とでもいうべき動きが起こる。リンゴ活動とはどういうものかというと、現実のリンゴを見なくても同じ反応が起こる活動です。それは、リンゴの絵を描けというときに、視覚野を調べたらわかる。

具体的なリンゴを見ている場合と、リンゴをイメージしろといった場合で、実は脳の中の視覚野ではほとんど同じ活動が起こる。そうでなくては、イマジネーションだけで絵を描くことは出来ないのです。

つまり、リンゴという言葉が意味しているものは、一方は外からのリンゴだけれど、もう一方は脳の中でのリンゴ活動です。リンゴという一つの言葉が、その両面を持っている。このことは、西洋語の中に極めてわかり易い形で出てくるから、まず西洋哲学の問題になったのです。

それはどういうことか。我々が英語でさんざん悩まされた定冠詞、不定冠詞というのは、まさにこの問題と関係しています。

the と a の違い

「机の上にリンゴがあります」と言うときに、英語では「There is an apple on the desk」と言う。この時の認識の流れはこうなります。

「机の上に何かあって、それが視覚情報として脳に入ってきた時に、私の脳味噌で言語活動が起こった、リンゴ活動が起きた」

その時は「an apple」なんです。この時点では、あくまでも、視覚情報として入ってきた「赤くて丸い物」に対して脳の中で「リンゴ活動」が発生した結果としての「リンゴ」に過ぎない。不定冠詞が付く時は脳内の過程に過ぎないのです。

では次に、その外界のリンゴを本当に手で摑んで齧《かじ》ってみます。もしかするとそれは実際には、蠟《ろう》細工かもしれません。ともかく、この時点でようやく実体としてのリンゴになります。それが英語では「the apple」になります。実体となったから定冠詞が付く。

大きな概念としてのリンゴではなく、ある特定の私が手にした（場合によっては実は蠟細工のレプリカだった）リンゴになった。外界のリンゴはそれぞれ別々な特定のリンゴだということです。

外の世界のリンゴは、それぞれ特定のリンゴ以外あり得ない。ところが、頭の中のリンゴは、プラトンの言うイデアとしてのリンゴです。頭の中は見えませんから、意識は一応全部同じだと見なす。しかし、そういう頭の中のリンゴというのは不定でしょう。色も、形も、大きさも、何も決まってない。それは「an apple」になるのです。

定冠詞、不定冠詞の差はそれを意味していた。プラトンから一気に現代に話は飛びますが、言語学の中でそれを指摘したのが、ソシュールのシニフィアンとシニフィエという概念です。

ソシュールによると「言葉が意味しているもの」(シニフィアン)と、「言葉によって意味されるもの」(シニフィエ)、という風にそれぞれが説明されています。この表現はわかったようなわからないような物言いです。実際、ソシュールは難解だとされています。

が、これまでの説明の流れでいえば、「意味しているもの」は頭の中のリンゴで、「意味されるもの」は本当に机の上にあるリンゴだと考えればよい。ソシュールも、やはり言葉の二つの側面に注目したのだ、と考えられます。

日本語の定冠詞

では、こういう重要な違いというのが日本語に存在しないかというと、そんなことはない。日本人にだけ存在しない、というのも変な話です。脳が共通性を求める、という一方で日本人だけが言語を脳の中で別処理している、なんてことになるのですから。

勿論、同様の区別は日本語の中にも存在している。あるのだけれども、日本人が言わない、または気にしていないだけです。専門家は形式的な文法の知識で、定冠詞、不定冠詞にこだわるからわかりづらい。

「昔々、おじいさんとおばあさんがおりました。おじいさんは、山へ柴刈りに……」という一節は誰でも知っています。では、この「おじいさんとおばあさんが」の「が」と次の「おじいさんは」の「は」の助詞の違いを説明できますか。

最初に「おじいさんとおばあさんがおりました」と言う時には、子供に、おまえの頭の中に爺さんのイメージと婆さんのイメージを浮かべろ、と言っている。特定の爺さん、婆さんを浮かべろと。浮かんだら、今度はそのお爺さんが物語の中で動き出します。次に、「おじいさんは、山へ柴刈りに」という時には、特定のお爺さんが動き始めるわけです。

見事にこれは定冠詞、不定冠詞の機能をそのまま持っている。ところが、文法学者は形式文法をやっているため、冠詞と書いてあるから、冠だから、名詞の前に使わなきゃ冠詞じゃない、と思う。それは助詞だろう、と。

しかし、形式を無視して言えば、機能としてはまったく同じです。ちなみにギリシャ語を調べると、冠詞は名詞の後ろにあっていいことになっている。

そう考えると、プラトンにせよソシュールにせよ、非常に難しいみたいだけれども、別に何てことはない。根本的には「自己同一性」に絡んだ、つまり言葉の世界と、あるいは別の言い方をすれば情報の世界と、システムの世界についての思想なのです。

神を考えるとき

リンゴは、具体的に存在している。では抽象的概念、例えば「神」といったものを考えるとき、脳はどう動いているのか。

人間は幼児のときは、まだ脳の中にほとんどプログラムがない。要するに遺伝子入力で割りつけられたつなぎぐらいしかない。例えば皆さんが、熱いやかんにさわって「アチッ」と手を引っ込めるときは、脳を使ってない。簡単に言えば本能というか反射というようなものです。それで、おくれて脳に届いて「アチッ」と言う。

つまり、入力から出力へというのは非常に単純につながっているわけです。最も単純につながっているのが動物や虫。反射的に行動しているわけで、これを通常、本能と言ったりもします。

本能という単純な入出力がメインである動物や虫とは反対に、入力と出力の中間のところにできてくるバイパスだけが非常に大きくなったのが人間の脳です。目玉であれ、皮膚であれ、耳であれ、チンパンジーと人間ではさして変わらない。ほとんど同じと言ってもいい。遺伝子の塩基配列だって、九八%以上同じです。チンパンジーの目玉と人間の目玉は、本質的には何も変わらない。そうすると、視覚入力は変わらないわけです。

脳内の自給自足

問題は、人間の処理装置が巨大になっているというところです。人間の脳はチンパンジーの脳の約三倍になっている。だから、大きなコンピュータ＝大脳が付いた。すると、今度は何が起こってきたかというと、外部からの入力で単純に出力する、というだけではなくなった。外部からの入力のかわりに、脳の中で入出力を回すことができるようになってきた。入力を自給自足して、脳内でグルグル回しをする。

良く言えば思索と言えるけれども、このグルグル回しばかりやっている人というのは、要するに一生懸命考えてはいるけれども、何も生み出さない人間だということになる。「下手の考え休むに似たり」とはまさにこういう状態です。

これはおそらく人間にのみ発生した典型的な事態です。虫でも動物でもそんな悠長なことはしていられない。

では、このグルグル回しが無意味かといえば、もちろんそんなことはない。人間の身体は、動かさないと退化するシステムなのです。筋肉であれ、胃袋であれ、何であれ、使わなかったら休むというふうになって、どんどん退化していく。当然、脳も同じこと。

そうすると、これだけ巨大になった脳を維持するためには、無駄に動かすことが必要なのです。とはいえ、常に外部からの刺激を待ちつづけても、そうそう脳が反応できる入力ばかりではない。そこで刺激を自給自足するようになった。

これを我々は「考える」と言っている。

役にも立たないけれども、とにかく入出力を繰り返し、グルグル回す。回さないと脳が退化する。意識的にやらなくても、巨大になってしまった以上は自然にグルグル回ってしまいます。

入力があれば、神経細胞は次々次々、別の神経細胞に連絡をしていく。それで、おそらく人間は非常に余計なことを考えるようになったのだろうと思います。

偶像の誕生

さて、「神」に代表される抽象的概念というのは、このように演算装置の中だけでグルグル回転するようにして作られたものである、ということになります。

しかし、それだけでは他のものと違うから人間は不安になってくる。どうしても具体的なものが欲しくなる。そこで、神像だの仏像だのと、偶像を作ったのです。

神に限らず、人間が頭の中だけで生み出すものは非常に数多く存在しています。これを昔は「概念」と言っていた。これをプラトンのイデアと言ってもいい。基本的にはそういうものは、外部との関係があるとはいえ、頭の中の産物です。

ごくシンプルに言ってしまえば、神というのは人間の進化、脳の進化そのものだということになります。では、今後、この進化はどのように進んでいくのか。実は既にこの問題について大きなヒントとなりうる実験が開始されています。もちろん、突然、人間の脳を巨大化する、という乱暴な実験が実施されたわけではない。対象はマウスです。

「超人」の誕生

すでに、マウスの脳を人為的に巨大化するという実験が行われ、成功しています。シワが増えた脳を持つマウスを作るところにまでたどり着いているのです。

人為的にではなく、進化の過程において、チンパンジーと人間の間でも、似たようなことが起こったに違いないと考えられます。両者の遺伝子の九八％は共通しているから、人間の脳がチンパンジーの三倍になったということは、何らかの遺伝的な変化が起こっているに違いない。しかも、わずかしか遺伝子が違わないんだから、この脳の進化にはほんのわずかの遺伝子しか関ってないことは間違いない。

その遺伝子はいずれ抽出されるでしょう。すると、今度はそれをいじって、猿の脳をもう少し増やしてやったらどうなるのか、さらには人間の脳を今の三倍にしたらどうなるのか、という興味が自然に湧いて来る。

ある種の「超人」を作ったらどうなるのか。これは非常に興味深いテーマです。このときにできた新しい人間は、今の我々と同様に考え、感じられるのはもちろん、それにプラスαがついている可能性が十分ある。

乱暴に言えば、そういう人間ができた時には、現代人のある種の役割は終わりになるのかもしれません。チンパンジーの後に現代人があるのと同じです。そうなったらどうなるのかといえば、もはや普通の人間である私の想像外。そいつに聞いてくれ、としか言いようがない。

チンパンジーに我々の気持ちがわからないのと同様、我々にプラスαの人間の気持ちがわかるはずがない。我々の知っていることを我々は知っているし、考えること、感じることはわかっているけど、プラスαの方はそれ以上のことを知っているから、後はあいつに聞いてくれ、としか言えない。

現代人プラスα

最初の類人猿、アウストラロピテクスは四五〇ccの脳でした。北京原人の段階で一〇〇〇ccで、現代人は一三五〇cc。そこにもう一つつけ加えてやれば、もう我々の仕事はそれで終わりで、人類の進化は自然の中でそうなってきた。

我々の考えることぐらいは全部考えられる、感じることだって感じる、そのうえプラスαがついている存在とは何か。それを人間は神としたわけです。神は全知全能であるということ、それ以上のことは人間が知りようがない。何せプラスαなのですから。

本来、神というのは人間が昔から頭の中に作ってきた存在です。人間はそうやって頭の中に作ったものを、実際に外に作り出すという作業を続けてきたわけです。

空を飛ぼうと思えば、最終的には飛行機からパラグライダーまで作った。遠くの人と話をしようと思えば、電話からテレビ電話まで作る。コンピュータというのは、脳味噌を作ってしまったようなものです。

さて、それでは人間が一番古くから考えてきたものは何か。それは「神」です。偶像だけで満足して、これを外部に作り出さないなんてはずがない。

その第一歩が、マウスの脳を大きくすることから既に始まっているのではないか。実験で作ったマウスは、身体の大きさは決まっていますから、大脳皮質だけを大きくするとシワが増える。チンパンジーから人間に進化した時に起こったのと同じことがマウスで実際に再現できた。実はこのマウスは、まだ親にしておらず、胎児の段階で標本を作っています。

自然な興味の方向としては、必ずそれは親にしたいと思うし、次に行動を観察するでしょう。普通のネズミとどこが違うとか、いろいろ観察する。その次にやることは決まっている。チンパンジーでやってみたらどうなるか、と考え始める。結果として映画『猿の惑星』に登場する、見た目は猿だけれども、脳は人間並みかそれ以上の猿を生みだすことになるかもしれない。そして最終的には「人間でやってみたらどうなるんだろうか」と興味を持つことになる。

私たちはそのプラスαとか、三倍のシワを持った人間というのが、どういう能力を持っているのかは、想像できない。我々と共通の部分については全部わかるでしょう。しかし、我々には無い部分については、どういうものになるのか、作ってみなければわからないことです。

こうしたプラスαの人間の意識は我々とはかなり異なる「個性」を持っているであろうことは想像に難くない。しかし、その前提には既に脳の大きさ、つまり生物学的、身体的な「個性」が存在しているのです。

第五章　無意識・身体・共同体

「身体」を忘れた日本人

私たちをとりまく壁、いつの間にか作ってしまった壁については、既にいくつか述べました。現代人は当たり前と思っているが、実際のところと「あべこべ現象」が起きているというのは、情報についての認識だけではありません。「あべこべ現象」と密接に関係しているのが「無意識」「身体」「共同体」の問題です。「意識と無意識」は脳の中の問題、「身体と脳」は個体の問題、そして「共同体」は、社会の問題です。

現代の日本では、それぞれにおいてよく似た現象が起きています。その現象を意識しない、または忘れてしまっていること自体が、日本人の抱えている問題ではないか、と考えられるのです。

戦後、我々が考えなくなったことの一つが「身体」の問題です。「身体」を忘れて脳だけで動くようになってしまった。といっても、「そんなわけはない。頭痛もすれば肩こりもする」「体重が増えて階段を上るのがキツイことを自覚している」と仰しゃるかもしれません。ここでいう身体の問題とは、そういうことではありません。

オウム真理教の身体

これについては、まずは犯罪史としてのみならず、戦後思想史上の大事件と考えられるオウム真理教事件を題材にとってみましょう。

オウム真理教は、言うまでもなくあらゆる意味で大きな問題でした。が、私はそれをどう考えるべきか、なかなか整理がつかなかった。私が教えていた東大生も、ずいぶん引っかかった。どうして、あんな見るからにインチキな教祖に学生たちが惹かれていくのかがわからなかったのです。

しかし、竹岡俊樹氏の『「オウム真理教事件」完全解読』(勉誠出版)を読んでようやく納得出来た。竹岡氏は考古学を専攻している方で、この本ではその考古学の手法でオウム真理教を分析して見せます。

考古学の手法というのは、ここでは、教団の出版物やオウムについての本、新聞、雑誌の記事だけをもとに対象を分析していく、というやり方です。考古学は、後世に残された物証だけをもとに再構成するという学問ですから、オウム真理教について分析をする場合には、そういう手法になる。

彼は、信者や元信者らの修行や「イニシエーション」についての体験談を丹念に読み込みました。その結果、「彼ら（信者）の確信は、麻原が教義として述べている神秘体験を彼らがそのままに追体験できることから来ている」と述べています。つまり、麻原は、ヨガの修行だけをある程度きちんとやって来た、だからこそ修行によって弟子たちの身体に起こる現象について「予言」も出来たし、ある種の「神秘体験」を追体験させることが出来たのだ、と結論付けています。自らの身体と向かい合ったことのない若者にとって、麻原の「予言」は驚異だったことでしょう。

これを読んで、「何であんな男にあれだけ多くの人がついていったのか」という疑問がようやく解けた気がしました。

軍隊と身体

ここでのキーワードは「身体」だったのです。かねてから、「身体問題」が戦後、日本が抱えていた共通の弱さというか、文化にとっての問題点だ、と私は考えていましたが、それが証明された、という感があります。戦時中まで、身体を担っていたのは軍隊という存在でした。が、それが終戦で綺麗に消えてしまいました。以降、実は自分にとって一番身近な身体の扱い方を個人がわからなくなってしまった状態のままなのです。日本の場合、三代、四代遡《さかのぼ》れば殆ど皆、百姓です。つまり都市の人間ではない。そういう人たちが、近代になって突然、あちこちで自然が都市化したのに伴っていきなり都会人になってしまった。

ここでいう「都市」とは、前章でも述べた脳化社会のことです。すなわち、人間が脳の中で図面を引いて作った世界が具現化している社会のことを指します。およそ都市というのは、まず人間が頭で考えたものを実際にそこに作る、という作業から出来ています。

日本では、この都市化に伴って、近代になって急に身体問題が発生してしまっている。恐らくは古くから都市化の歴史を持っている社会、中国やユダヤ人の文化というのは古くから都市化をしていったために、こういう問題はすでに済んでしまったのだと思います。

それでも、日本においても、ある時期までは軍隊という形で強制的に、都市生活をしている男性においても身体を規定していった。軍隊というのは、どういう組織かといえば、とにかく考えずに身体の運動を統一させる組織です。戦場で下手にものを考えていたらその間に殺されるのですから、反射的に動くことを徹底的に訓練で叩き込む。上官が右、というのに、いちいち「ハテ本当に右を向いてよいものか」などと考えていては話になりません。

身体との付き合い方

誤解の無きように申し添えれば、私は決して「徴兵制を復活せよ」といったことを主張したいわけではない。軍隊がいいとか悪いとかいうことではなく、それが存在していた時に、そこに所属していた者たちは、身体について考える必要が無かった、ということです。

考える前の段階で、訓練によって身体を強制的に動かされる。いわば、身体依存の生活を送らざるをえなくなります。そこでは否応無く身体を意識することになります。

では、軍隊が消失した現在において、身体とどう付き合っていくのか。その問題への答えを、ある種の若者たちに提示したのがオウム真理教、麻原彰晃だったのではないか、それこそがオウム問題の重要な点だったのではないか、と思うのです。身体の取り扱いがわからなかった若者に、麻原がヨガから自己流で作ったノウハウをもとに〝教え〟を説く。それまで悩んでいた身体について、何かの答えを得たと思うものはついていった、ということでしょう。

オウムに限らず、身体を用いた修行というものはどこか危険を孕《はら》んでいます。古来より、仏教の荒行等の修行が人里離れて行われる、というのは、昔の人間の知恵だったのかもしれません。

身体と学習

身体を動かすことと学習とは密接な関係があります。脳の中では入力と出力がセットになっていて、入力した情報から出力をすることが次の出力の変化につながっています。身近な例でいえば、歩けない赤ん坊が何度も転ぶうちに歩き方を憶える。出力の結果、つまりここでは転ぶという経験を経て、次の出力が変化する、ということを繰り返す。そのうちに転ばずに歩けるようになってくる。

脳のモデルとして現在有効であると考えられている「ニューラル・ネット」というものがあります。これについては第六章で解説しますが、大雑把にいえば、このモデルを応用して、自ら間違いを訂正して学習をしていくプログラムを作ることが可能です。出力の結果によって次の出力を変えていくプログラム、と言ってもいい。これは人間の学習と同じ過程です。

例えばコンピュータに文字を識別させるプログラムを作る場合、こういう自ら学習するプログラムと、細かいところまで全て予《あらかじ》め設定して識別するプログラムとでは、前者の方がはるかに効率が良く、簡単なプログラムで済むことがわかっています。

文武両道

ここで言えるのは、基本的に人間は学習するロボットだ、ということ。それも外部出力を伴う学習である、ということです。

「学習」というとどうしても、単に本を読むということのようなイメージがありますが、そうではない。出力を伴ってこそ学習になる。それは必ずしも身体そのものを動かさなくて、脳の中で入出力を繰り返してもよい。数学の問題を考えるというのは、こういう脳内での入出力の繰り返しになる。

ところが、往々にして入力ばかりを意識して出力を忘れやすい。身体を忘れている、というのはそういうことです。

江戸時代は、脳中心の都市社会という点で非常に現在に似ています。江戸時代には、朱子学の後、陽明学が主流となった。陽明学というのは何かといえば、「知行合一《ちこうごういつ》」。すなわち、知ることと行うことが一致すべきだ、という考え方です。

しかしこれは、「知ったことが出力されないと意味が無い」という意味だと思います。これが「文武両道」の本当の意味ではないか。文と武という別のものが並列していて、両方に習熟すべし、ということではない。両方がグルグル回らなくては意味が無い、学んだことと行動とが互いに影響しあわなくてはいけない、ということだと思います。

赤ん坊でいえば、ハイハイを始めるところから学習のプログラムが動き始める。ハイハイをして動くと視覚入力が変わってくる。それによって自分の反応＝出力も変わる。ハイハイで机の脚にぶつかりそうになり、避けることを憶える。または動くと視界が広がることがわかる。これを繰り返していくことが学習です。

この入出力の経験を積んでいくことが言葉を憶えるところに繋がってくる。そして次第にその入出力を脳の中でのみ回すことも出来るようになる。脳の中でのみの抽象的思考の代表が数学や哲学です。

大人は不健康

赤ん坊は、自然とこうした身体を使った学習をしていく。学生も様々な新しい経験を積んでいく。しかし、ある程度の大人になると、入力はもちろんですが、出力も限定されてしまう。これは非常に不健康な状態だと思います。

仕事が専門化していくということは、入出力が限定化されていくということ。限定化するということはコンピュータならば一つのプログラムだけを繰り返しているようなものです。健康な状態というのは、プログラムの編成替えをして常に様々な入出力をしていることなのかもしれません。

私自身、東京大学に勤務している間とその後では、辞める前が前世だったんじゃないか、というくらいに見える世界が変わった。結構、大学に批判的な意見を在職中から自由に言っていたつもりでしたが、それでも辞めてみると、いかに自分が制限されていたかがよくわかった。この制限は外れてみないとわからない。それこそが無意識というものです。

「旅の恥はかきすて」とは、日常の共同体から外れてみたら、いかに普段の制限がうるさいものだったかわかった、ということを指している。身体を動かすことはそのまま新しい世界を知ることに繋がるわけです。

これもまた誤解されやすいので念のために付け加えておくと、別に転職の勧めをしているのではありません。大人だから環境を変えるには離婚とか転職しかない、と思われても困ります。同じことをずっとやっているようでも、その人の中での理解だとかプログラムの編成替えが行われる、というのは珍しいことではない。

同じことをやっているのが即駄目だ、ということになると、子供の頃から今に至るまで延々と昆虫採集をしている私は進歩ナシ、ということになる。しかし、もちろんそんな単純な話ではない。

昆虫採集ひとつとっても、かつての私と今の私とでは随分変わっている。例えば、あるゾウムシを採取したが、どの図鑑に照らし合わせても特徴が合致しないことがある。若い頃ならば、「本と一致させられない自分の目がおかしいのだろうか」なんて思ったかもしれません。が、長い経験を経た今であれば、「これは本の方が間違っていて、自分の目が正しいのではないか」という可能性も考えることが出来る。長年の経験によって、同じことについても見方が変わってくることは珍しいことではないし、それは一種のプログラムの書き換えのようなものです。ただし、それには科学についての項で述べたように、常に検証の気持ちを持つ必要があります。

脳の中の身体

身体の問題というのは、脳の面から見るとどうなるか。人間の脳では、てっぺんの部分で足を司り、その下が太腿、さらにその下が腹、という風になっています。実際の位置とは丁度逆転した形になっているのです。ところがこれが首のところまで来ると、そこで順番がまた逆転して今度は頭のてっぺんを司る、という構造になっています。

つまり足→太腿→腹→胸→首と来たら、順番からいくと、普通はそのまま、顎→口→鼻→目→頭、と丁度逆立ちをしているような順番になるはずです。しかし、実際には首の次は頭→目→鼻→口→顎という風に、脳の中では身体は割り付けられている。これを図示したのがペンフィールドのホムンクルス（小人）という図です。

人間は脳の中で、身体の上と下が首を境に分断されている。ちなみにコウモリの場合は、脳の中は頭のてっぺんから足まで、きちんと順番通りに配置されている。頭→手→腹→足という風になっていて、人間とは殆ど正反対になっています。だから人間が常に

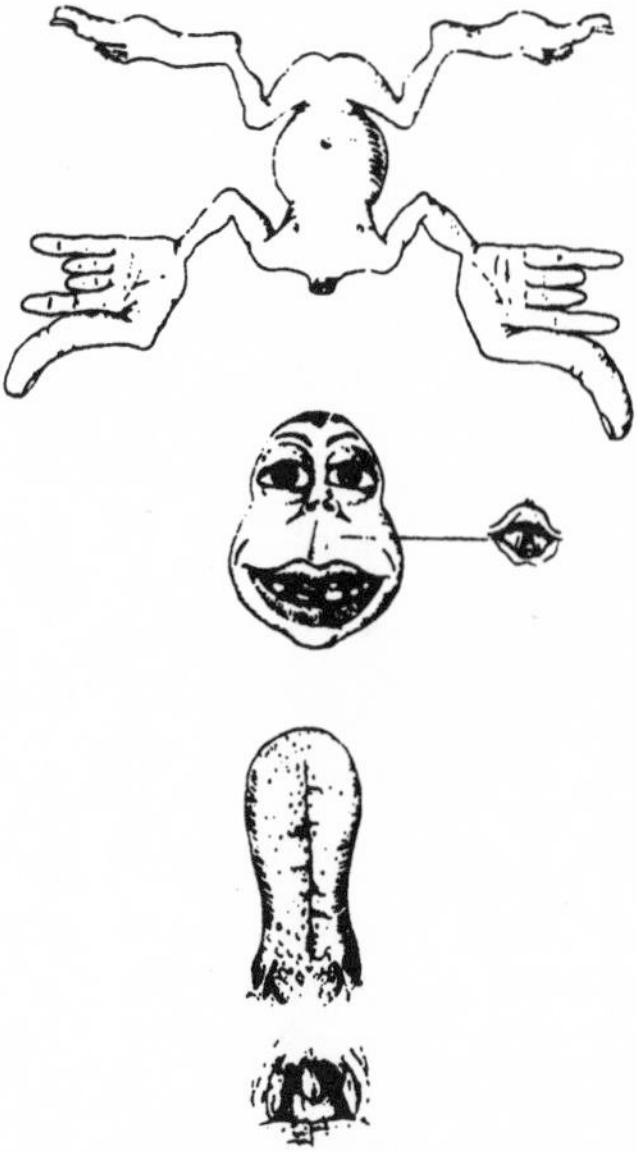

ペンフィールドのホムンクルス。足から順番にきて、首の次は顎ではなく頭頂部になる。

頭を上にして歩いているのに対して、彼らはいつも逆さでぶら下がっているのではないか、と考えられます。

　では人間の脳はどうして首で分断されているのか。首から上の運動と下の運動はまったく別であることが関係しています。つまり首から上の運動の代表は食物を摂る運動で、下は身体が移動する運動。目的もまったく別。そう考えると、脳味噌の中で、首のところで切れているのはある意味で合理的です。手がその間に入っているというのも実に理屈にあっている。

　なぜなら首から上の運動には、人間の場合、食事の他にコミュニケーションという重要な機能がある。これをやるのは口と手。歩きながら食べているなんて動物は、人間の他に殆どいません。

クビを切る

脳の中で首を境に身体が分断されている、という事実から考えると、「クビを切る」という表現には象徴的な意味があるように思えます。単に身体のなかで細い部分だから、切り易いからという簡単な話ではなくて、そこから上と下はそもそも分断されているものだ、ということを無意識に私たちは感じているのではないかと考えられるのです。

そもそも文明の発達というのは、この首から下の運動を抑圧することでもある。つまり、足で歩く代わりに自動車が出てくるというのは、首から下の運動を抑えることなのです。

首から下の運動は、本来は動物にとって基礎になる部分です。何せ「動物」というくらいですから、足で移動して動くのは基本なのです。その移動機能を文明社会は抑えることで発展してきた、ということが出来る。

このように、身体の問題をどういう風に考えていくのか。身体をどのように位置付けるのか、というのは非常に重要な問題です。ところが日本の文化ではまだ解決できていない。というよりも、そういう問題が存在するという意識もありません。

身近な例でいえば、私たちの生活はいつの間にか畳の生活から床の生活に変わりました。身体にとっては重大な変化です。普段、地面に座るか、イスに座るかで姿勢は異なるわけですから。

しかし、これがいつどう決まったのかもわからない。国会で「えー、日本の家は、和室が一つで、後は洋間にしましょう」なんて決めたわけではない。いつからイス中心の生活になったかも、もはや誰も覚えていない。

ことほど左様に、身体にとって重要なことがいつの間にか何となく決まった、というのが戦後の日本です。

また、日本は葬儀の際、もともと土葬だったのが戦後、高度成長期に一斉に火葬に変わりました。江戸時代は火事が起きるというので火葬は禁止だった。

ちなみに、私が勤めていた東大には今でも江戸時代のミイラがあります。当時の風習として、桶に入れて湿地に埋めた土葬の死体のなかには、腐らなくて濡れたミイラみたいな状態になっているものもある。保存状態がいいものは髪の毛もちゃんと残っていて、男か女か、故人がどんな人だったかもわかるようになっています。

ところが、今は火葬以外の埋葬は殆ど見られなくなっている。本来、死体をどのように扱うかというのは宗教にも関係する大問題のはずなのに、何となく変わってしまった。

共同体の崩壊

個人にとって見過ごされてきたのが「身体問題」だとすれば、社会にとってのそれは「共同体」の問題でしょう。デカルトは「良識は全ての人に与えられている」と言っています。

普通にこの世の中、共同体のなかで暮らしていれば「共通了解」に達する、はずでした。ところがその「共通了解」が戦後の日本では偏ったか失われたかしている、ということになる。「共通了解」のもとになる共同体が一方で残っていて、一方で壊れてしまっているのが日本の社会の難しいところです。

昨今は不況のせいで、どこの企業でもリストラが行われている。しかし、本当の共同体ならば、リストラということは許されないはずなのです。リストラは共同体からの排除になるのですから、よほどのことがないとやってはいけないことだった。

本来の共同体ならば、ワークシェアリングというのが正しいやり方であって、リストラは昔で言うところの「村八分」。だから、それを平気でやり始めているあたりからも、企業という共同体がいかに壊れているか、ということがわかる。

日本人が好きな「世界は一つ」とか「人類みな兄弟」といったフレーズは、かつての共同体への幻想によって支えられている。なぜなら、共同体の論理を世界規模に拡大して考えている、ということなのですから。

もっとも、この論理を広げていけば、北朝鮮の難民だって、日本人として受け入れることも出来るようになってしまいます。多分、殆ど全ての北朝鮮国民は何代か遡れば「日本人」だった時期がある。ということは、領事館は駆け込んできた難民を亡命者ではなくて、堂々と日本人として受け入れてしまうことだって出来る。

別にこれが暴論ではないのは、ペルーのフジモリ前大統領の例を見れば明らかです。

彼は、「実は日本人だった」という理屈によって日本に受け入れられることになったのですから。日本的な「共同体」の論理が、いまでも一部では通用している例でしょう。

北朝鮮による日本人拉致問題にしても、実行犯が日本人だというケースもある。ということは共同体の仲間がやったとも言える。少なくとも、そういう考え方がかつては存在していた。が、今の日本人はそうは受け止めていません。

まったく同様に、オウム真理教の問題では彼らをもはや日本人とは受け止めていない。マンションにやって来られては迷惑だ、というのはわかるけれども、地方自治体までもが転入届を拒んでいる。完全に共同体から排除してしまおうとしています。彼らの子供には何の責任もないのに学校に行けないようにしていた。これもかつては考えられなかった共同体の崩壊の表れでしょう。

機能主義と共同体

共同体の成員というのは基本的に平等というのが建前です。その感覚から日本的悪平等というものが生まれている。これは、企業や組織で求められる機能主義とは相反するものです。

機能主義というのは、ある目的を果たすために、人間の使い方が、この人はこれ、この人はこれ、という風に適材適所で決まってしまうことになる。当然、「あの人もいい人だから、希望の部署に行かせてあげたい」とか「無能だけれど家族があるからクビに出来ない」といった物言いは通用しません。その機能主義と共同体的な悪平等とがぶつかってしまうのが日本の社会です。

それでどうなるかといえば、結局、日本の社会は長い目で見れば、機能しなくなって共同体になってしまう。機能主義に共同体の論理が勝ってしまうのです。

官庁、特に外務省がその典型でしょう。「外務省というのは何をするところか」という根本の議論がなされないまま、外務省に入った職員全体の利益のために皆が動く、ということになっている。外交によって国益を守るということよりも、省のために働くことが優先されているのです。少なくともそうとしか見えない。

ここでいかにも共同体的だと思えるのは二世、三世の世襲キャリアが非常に多いこと。そのくせ仕事は大して無い、というのは、他の官庁の連中が口々に言っています。

少々脱線しますが、いっそのこと外務省は宮内庁と一緒にしてしまって、「儀典庁」として儀式だけやっていればいい、というのが個人的な意見です。それならば二代目でも三代目でも世襲で入れてあげて、一応、何か使節団を作るといった時にだけ、ヒゲを生やした人がリッパな恰好をして外国に行けばよろしい。パーティに招かれた時のテーブルマナーとかそういうことだけきちんとしていれば済むでしょう。ただし、そういう奴等が大きな顔をする必要は無い。

亡国の共同体

鈴木宗男氏との癒着の問題で、外務省の次官が外国から呼び戻された時に、帰国しての第一声で「外務省はこの難局に当たって一致団結し……」と言ったのは象徴的でした。実に頭に来ました。

それまでさんざん、同僚が愛人の名をつけた競走馬を買っただの、鈴木氏と癒着して勝手放題していただのという問題が指摘されたところにもってきて、「みんなで一致団結」というのはどういうことなのか。世間は誰もそんな姿勢を求めておらず、当然、悪い膿《うみ》を出すことを期待していました。にもかかわらず「省員の一致団結」とは……。いかに彼らが世論を考えておらず、共同体の成員としての考え方しかないかというのが、その一言でわかった気がしました。

この状態は戦時中の日本軍と非常によく似ている。よく勘違いされますが、別に軍の武力だけが国を滅ぼしたわけではない。いかにも馬鹿馬鹿しい内部での抗争が国益を損ねていたのです。

戦時中は、陸軍と海軍の両方で張り合って互いに主導権争いをしていて、その合間にアメリカと戦争していた、という笑い話があるほど。使える飛行機がもはや零戦しか残っていないという事態になっても、航空予算は陸軍と海軍で半々だった。

その時も、現在、省庁間でやっている予算の取り合いみたいなことばかりやっていた。省庁あって国家無し、というのは、今に始まった話ではないのです。

現代ではかつてあった大きな共同体が崩壊する一方で、会社や官庁といった小さな共同体だけが存在している。そのために、他の共同体から見れば「それはおかしいんじゃないの」ということが、閉じられた共同体の中では起こってしまっている。これは「常識」が無いからだ、ということは既に述べました。

では、その常識がどうしてなくなったのかといえば、世間ではなく、小さな共同体の論理しかわからなくなっているからだ、と考えられます。

理想の共同体

おそらく、社会全体が一つの目標なり価値観を持っていたときには、どのような共同体、または家族が理想であるか、ということについての答えがあった。それゆえに、大きな共同体が成立していた。

とすると、どういう共同体が理想か、という問題を考える場合、実はその問い自体に大した意味はないのではないか。

家族でいえば、大家族とか核家族とか、そういう形態は、あくまでも何を幸福として目指すのかということの結果でしかない。同様に、あくまでも共同体は、構成員である人間の理想の方向の結果として存在していると思います。「理想の国家」が先にあるのではない。

かつては「誰もが食うに困らない」というのが理想のひとつの方向でした。今はそれが満たされて、理想とするものがバラバラになっている。だからこそ共同体も崩壊している。昨今の風潮でいえば、こうしたバラバラであることそのものが自由の表れであるかのような考え方もあります。これはどこか「個性」礼賛と似ている。

しかし、そうではないのではないか。「人間ならわかるだろ」という常識と同様、人間にとって共通の何らかの方向性は存在しているのではないでしょうか。

私は、一つのヒントとなるのは「人生には意味がある」という考え方だと思っています。アウシュビッツの強制収容所に収容されていた経験を持つV・E・フランクルという心理学者がいます。彼は収容所での体験を書いた『夜と霧』（みすず書房）や、『意味への意志』『〈生きる意味〉を求めて』（春秋社）など、多数の著作を残している。

そうした著書や講演のなかで、彼は、一貫して「人生の意味」について論じていました。そして、「意味は外部にある」と言っている。「自己実現」などといいますが、自分が何かを実現する場は外部にしか存在しない。より噛み砕いていえば、人生の意味は自分だけで完結するものではなく、常に周囲の人、社会との関係から生まれる、ということです。とすれば、日常生活において、意味を見出せる場はまさに共同体でしかない。

人生の意味

フランクルが七〇年代にウィーンの大学で教鞭を執っていた際、アメリカからの留学生の六〇%が「人生は無意味だ」と考えていたそうです。これに対して、オーストリア人、ドイツ人、スイス人で「無意味だ」と考えていたのは二五%だった。特にアメリカ型の思考を持つ人にこういう考え方が多いことがわかった。さらに当時の統計で、若い麻薬患者の一〇〇%が「人生は無意味だ」と考えていたともいいます。

フランクルは、強制収容所といういつ殺されるかもわからない状況下で、「生きるとはどういうことか」という意味について考えてきた。そして彼の人生の意味は「他人が人生の意味を考える手伝いをする」ことでした。

ガンの末期で寝たきりになった患者にとっての生きる意味を彼は問います。医者によっては、そういう人にはもはや生きる意味は無い、と判断するかもしれません。しかし、フランクルはこう考えました。「その人が運命を知ったうえで取る態度によって、周囲の他人が力づけられる」という意味があるのだ、と。

あるガン患者は、「死んで子供たちと別れるのが辛いことを訴えました。これに対してフランクルは、あなたに身内がいなければ嘆くことも出来ない、少なくともこの世に置いていきたくないものを残しているではないか、それがまったく無い人もある、という風に答えます。

人生の意味、という問題は、今でも非常に重要です。ドラッグが流行《はや》っていることから見ても、人生は無意味だと思っている現代人が実に多いように見えます。人生の意味について考えていくことが、個人にとっても共同体にとっても、非常に必要なことなのではないか。

誤解を恐れずにいえば、九・一一のテロにおいては、被害の大きさもさることながら、あの犯人たちが強い意味を感じているということそのものがショックだった、とは考えられないでしょうか。

それに対するアメリカ側の反撃にはそこまでの意味が感じられない、というのがショックだったのではないか。身勝手だろうが何だろうが、テロリスト側が持っていたほどの強い意味をアメリカは持っていないように思える。

ただし、こうしたイデオロギーが人生の意味であるという状態（たとえば戦前の日本もそうでした）は、もはや終わっていると思います。正当化するつもりもない。しかし、だからといって人生の意味が無くなったという結論にはならない。

現代人においては、「食うに困らない」に続く共通のテーマとして考えられるのは「環境問題」ではないでしょうか。環境のために自分は共同体、周りの人に何が出来るか、ということもまた人生の意味であるはずなのです。

共同体が機能している時には、人間同士の貸し借りそのものがある種の人生の意味たりえた。生きていくうえでは何らかの付き合いがあって、そこではどうしても貸し借りが生じる。

何か借りがあれば恩義を返す。そこには明らかに意味がある。教育ということの根本もそこにあって、人間を育てることで、自分を育ててくれた共同体に真っ当な人間を送り出す、ということです。そしてそれは、基本的には無償の行為なのです。

苦痛の意味

人生の意味を考えることはそう簡単なことではないかもしれません。なかなか答えが出るわけではない。正解が用意されているわけではない。「人生は無意味だ」と割り切った方が、当世風で楽に思えます。

しかし、それを真面目に考えないことが、共同体はもちろんのこと、結局のところ自分自身の不幸を招いている。

環境問題にしたって、「どうせ大噴火が起きれば環境もクソもない」とか「隕石が降ってくれれば恐竜みたいに人間だって滅びるさ」と考えて何もしない、というニヒリズムに走るのは簡単です。しかし、これは非常に乱暴かつ安易な結論です。

病気の苦しみには何か意味があるのか。医師のなかには、そんなものには何の意味も無いとして、取り去ることを至上のこととする人もいるでしょう。しかし、実際にはその苦痛にも何か意味がある、と考えるべきなのです。苦痛を悪だと考えてはいけない。そうでないと、患者は苦痛で苦しいうえに、その状態に意味が無いことになって、二重の苦しみを味わうことになる。

「苦痛に意味がある」というのは宗教的な考え方で、場合によってはいわれの無い社会的な差別のようなものまでを必然としてしまうという危険な面もあります。それでもやはり、たとえ苦痛にでもプラスの面もある、という多面的な考え方は必要なのです。

年々、自殺者が増えているということは、直接的には不況などが原因になっているとはいえ、突き詰めれば人生に意味を見出せない人が増えている、ということに他なりません。

傑作だったのは、『からくり民主主義』（高橋秀実著・草思社）のなかで紹介されている、樹海での自殺者の話。地元の人が樹海の捜索をしていると、自殺しそこねた人が現れて「クビを吊ったら枝が折れて落っこちて身体を打った。死ぬかと思った」と言ったといいます。これは笑い話ですが、この自殺者も、首を吊りそこねてお尻を打ったことで別の世界が見えてきたに違いありません。

意味を見出せない閉塞感が、自殺を始めとした様々な問題の原因となっています。かつて脚本家の山田太一さんと対談した際、彼は「日本のサラリーマンの大半が天変地異を期待している」と言っていました。もはや自分の力だけでは閉塞感から脱することが出来ない、という無意識の表れでしょう。実際には意味について考えつづけること自体が大切な作業なのです。フランクルの言葉を借りれば、人生が常に私たちにそれを問うているのです。

共同体について考える、というと、どうしても顔の無い人間の集合体のようなものを想定してしまいがちです。しかし、事は直接私たちそれぞれの幸福なり「人生の意味」なりにかかわっているのです。

忘れられた無意識

身体や共同体と同様、戦後私たちが排除してきた、もしくは考えなくなったのが、「無意識」の問題です。無意識を意識しろ、というのも矛盾した物言いですが、要は無意識が存在していること、そしてそれが重要な存在であることを自覚しなくなった、ということです。

私たちは現在、都市、脳化社会で暮らしています。その例としては、現代のほかに江戸や平安京をあげました。

脳化社会というのは、皆が思い思いに勝手に建物を作ってゴチャゴチャの状態の都市であろうが、最初から行政なり個人なりが全体をプロデュースして整然としている都市であろうが同じことです。「ウチの近所は都心のわりに公園が沢山あって緑が多いから自然の中で暮らしている」とかそういうものではありません。基本的に都市に住んでいるということは、すなわち意識の世界に住んでいる、ということです。そして、意識の世界に完全に浸りきってしまうことによって無意識を忘れてしまう、という問題が生じてきた。

無意識の発見

フロイトが無意識を発見する必要があったのは、ヨーロッパが十八世紀以降、急速に都市化していったことと密接に関係している。それまでは、普通に日常に存在していた無意識が、どんどん見えないものになっていった。だからこそ、フロイトが、無意識を「発見」したわけです。

もともと無意識というのは、発見されるものではなくて日常存在しているものです。

なぜならば、我々は、毎日寝ています。寝ている間は誰もが無意識に近い状態です。夢を見ているといっても、覚醒している時とはまったく異なる、低下した意識ですから。

この寝ている時間というのを、今の人はおそらく人生から外して考えていると思われます。脳によって作られた都市に生活している、というのもその理由のひとつでしょう。

若い人のライフスタイルを見ていると顕著です。彼らが主な客層であるコンビニは二十四時間営業。草木が眠る時間でも、コンビニだけは煌々《こうこう》と明かりを点し、若い人たちがたむろしている。要するに、彼らにとっては寝ている時間は存在していない時間であることの象徴です。

なぜ寝ている時間が無いのか。寝ている暇を勿体《もったい》無いと思うのか。それは、無意識を人生のなかから除外してしまっているからです。意識が中心になっている証拠なのです。だから、若者はとにかく起きていようとする。極端に言えば、ギリギリまで起きていて、ばったり倒れて眠る。そのためどんどん夜更かしになる。朝になると、多少とも仕事があって、仕方がないから行ってこようかという風です。

熟睡する学生

そのせいなのでしょうが、大学生を見ていて、ここ二、三年で非常に目立つ現象があります。私が、一時間目の講義に行くと、既に机の上に突っ伏して寝ている学生が結構いるのです。放っておいて一時間半講義してもまだ寝ている。一度も目を覚まさない。これがなかなか理解できない。私が喋っているのを聞いて退屈だから寝たというのなら、残念ではあるもののよくわかる。

しかし、彼らはもう最初から最後までひたすら寝ている。わざわざ朝の一時間目にやって来て、ひたすら寝ている。

もちろん、学問する気が無いから授業なんて聞く気はない、という面はある。彼らにとって重要なのは、授業がどうこうではなくて、友達と一緒にいるかいないか。それがほとんど興味の中心です。その友達が寝てしまうと、しようがないからということで、ゲームをやって、携帯電話でメールでもやって、そうするともう夜が更けてしまい、コンビニに行って何か買ってきて、深夜番組を見ながら食べて……という繰り返しです。

これを若い人たちが甘やかされて育った云々ということのせいにするのは簡単です。

しかし、おそらく根本にあるのは、彼らが意識しているのは、起きている時間に何をするのかということだけだ、という点です。

三分の一は無意識

脳化社会である都市から、無意識＝自然が除外されたのと同様に、その都市で暮らす人間の頭からも無意識がどんどん除外されていっている。しかし人間、三分の一は寝ている。だから、己の最低限三分の一は無意識なのです。その人生の三分の一を占めているパートについては、きちんと考慮してやらなきゃいけない。

無意識の状態でだって、身体はちゃんと動いています。心臓も動いているし、遺伝子が細胞を複製してどんどん増えて、いろんなことをやっているわけです。

それもあなたの人生だ、ということなのです。が、おそらく近代人というのは、それを自分の人生だとは夢にも思っていない。それは単に寝て休んでいるだけなのだと思っているわけです。人生から外して考えています。実はこれが、残りの起きている時間をおかしくしてしまう原因なのです。

完全に意識の連続の世界しか考慮に入れていないから、寝る前の自分と、目が覚めた後の自分が連続している同一の人間だ、と何も疑わずに安易に思ってしまう。

むろん、無意識を意識しろ、といっても矛盾しているというか無理な話です。ただし、あくまでも自分には無意識の部分もあるのだから、という姿勢で意識に留保を付けることが大切なのです。

左右バラバラ

現代人の無意識についての状態を象徴的に示しているかのように見えるのが、右脳と左脳が分離している患者です。彼らはそれぞれの脳が正反対のことをやろうとします。左脳が靴下を脱ごうとしているのに、右脳は逆に履こうとしていたりする。

外から見ると、この人の右手は靴下を脱ごうとしているのに、左手で抑えている。左脳にある意識は、なぜそうなるのかわからない。本人には、左手がそんな風に意識しないところで妨害していることはわからないのです。

実は、人間誰もが似たような状況にあるのではないか。つまり、迷っている、悩んでいる、という場合、そういう状態だったりする。自分の中にも別の自分＝無意識がいるし、それは往々にして意識とは逆の立場を取っている。

だから人間は悩むのが当たり前で、生きている限り悩むものなのです。それなのに悩みがあること、全てがハッキリしないことを良くないことと思い、無理やり悩みを無くそうとした挙句、絶対に確かなものが欲しくなるから科学なり宗教なりを絶対視しようとする。

「あべこべ」のツケ

我々は脳化社会に暮らしていますが、そういう自覚が出来ていない。いつの間にか、身体を忘れ、無意識を忘れ、共同体を意識しないままに崩壊させてしまっている。今の状態が昔から不変で当たり前のように思っている。

オウム問題、外務省を始めとした役所の問題、多くのことの根はここにあるのではないでしょうか。個々の社会問題についての原因探しも必要ですが、結局のところ、それを生み出している土台は何か、ということについての議論がなされていないように思います。

日本や欧米だけではなく、おそらく世界中、そういうふうに逆転が起こっているように思える。都市化して、あべこべの現象が起こっている。これは大学紛争の頃から世界中が都市化したことに起因している。石油エネルギーによる文明が蔓延しました。都市というのはエネルギーがなきゃ食っていけないところで、そのエネルギーが安価な石油という形で供給されたから、世界中に都市化が起こった。

都市化が起こったときの一番大きな影響は、本来、十代の半ばで職業につくはずだった若者たちが、職業につかないで大学に行って遊ぶ暇ができたことです。これが大学紛争の根本の原因です。この時、初めて人類の若い人に余暇ができた。

つまり、それまでは働かなきゃ食えないという状態が前提だったのに、働かなくても食えるという状態が発生してきた。

ホームレスというのは典型的なそういう存在です。ホームレスを生み出すのは必ず都会です。ホームレスは否定的に見られるし、蔑まれたりもします。

しかしよく考えると、実は、それは私たちが子供だった頃には理想の状態だったはずなのです。何せ彼らは「働かなくても食える」身分なわけですから。

なぜ戦後の日本人が必死で働いたかというと、この「働かなくても食える」という状態になりたかったからです。ところが、戦後五十年以上経った今、今度はテレビで「失業問題が深刻だ」とか何とかやっている。誰も飢え死にしないで食っているにもかかわらず、です。

一歩引いて考えてみると、漫画みたいではないでしょうか。要するに、「働かなくても食える」というのが理想の状態だと思って、一生懸命働いてきた。実際、働いた分、経済は成長し、社会はどんどん効率化していった。

ホームレスでも飢え死にしないような豊かな社会が実現した。ところが、いざそうなると今度は失業率が高くなったと言って怒っている。もうまったく訳がわからない。

失業した人が飢え死にしているというなら問題です。でも、ホームレスはピンピンして生きている。下手をすれば糖尿病になっている人もいると聞きました。

人間はコロッと忘れるものです。戦前の人が見たら、何と羨ましい人たちがそこかしこ、公園や橋の下に寝ていることか、という状態なのです。働かなくても食えるというのが暗黙の理想の状況だった頃を私はまだ憶えています。「あの人は働かなくても食える」と素封家を羨ましがっていた時代が嘘のようです。

様々な「あべこべ」によって生まれた現象のおかしさが、ホームレスについての認識に顕著にあらわれている気がします。

第六章　バカの脳

賢い脳、バカな脳

賢い人と賢くない人の脳は違うのか。外見はまったく変わりません。もちろん、一定以上の限度を越えれば話は別です。前述した通り、チンパンジーの脳は人間の脳より小さいわけですから。人間の脳でいえば、通常の三分の一、四五〇グラム、という例もありますが、これは小頭症という病気で、やはり機能には問題がある。しかし、逆に二〇〇〇グラムも脳がある白痴がいた、という記録もあります。そういう極端な例を除けば大小は関係無い。

脳みそのシワが多いといい、という俗説もありますが、これも関係無い。なぜ脳にシワがあるのかといえば、一定の容量の頭蓋骨に沢山の脳を入れるためにクシャクシャにして収めているからシワになる。

新聞紙を小さな箱に丸めて入れるのと同じことです。シワの数だけなら人間よりイルカの方が多いくらいですから、頭の良し悪しとはまったく関係ありません。

では、利口、バカを何で測るかといえば、結局、これは社会的適応性でしか測れない。例えば、言語能力の高さといったことです。すると、一般の社会で「あの人は頭がいい」と言われている人について、では具体的、科学的にどの部分がどう賢いのかを算出しようとしても無理なことでしょう。そんなものの客観的、科学的な基準を作るのは難しい。しかも、無理やり客観的な基準を置いて測るなんてことをしたところで、あまり意味が無い。場合によっては常識と異なる、とんでもない結論が出ることが予想されます。

記憶の達人

例えば客観的に測りやすい「記憶力」。これを機械的な記憶力で測っていったら、世間でいうところの「賢い」人が一番になるわけではない。

大概、一番優れているのは、実は社会生活に適応出来ないようなタイプの人です。一〇〇ケタの数字を、あっという間に全部暗記する、という能力を持つ人は現実に存在しましたが、この人は社会生活不適応者でした。

映画『レインマン』でダスティン・ホフマンが演じた主人公と同じです。この映画の主人公は、カジノで配られるトランプの並びをあっという間に憶えたりする驚異的な記憶力の持ち主として描かれていました。が、実生活は弟に面倒を見てもらわないと何も出来ない、というタイプでした。

ロシアのルリアという心理学者が、ある患者について丸ごと一冊本を書いています。その患者は、十年前に憶えた数字一〇〇ケタを逆から全部言えた。常人離れした記憶力を持っているから、その面だけを見れば優秀な頭脳の持ち主と言えそうなものですが、実際にはこの人もいわゆる社会生活不適応者だったそうです。

何かの能力に秀でている人の場合、別の何かが欠如している、ということは日常生活でもよく見受けられます。これは脳においても同じようです。

イルカは目が殆ど見えないが、その代わり耳の機能が素晴らしく発達している。コウモリも同様に、目は退化してしまっているが、耳の機能だけで張り巡らされたピアノ線の間を縫って飛ぶ、というような芸当が出来る。犬の嗅覚も同じことです。

従って、ある種の特殊な領域で秀でているからといって、「賢い」とはいえない。こう考えると、果たして何で頭の良し悪しを測るべきか、というのは非常に難しい問題だということがおわかりでしょう。

社会的に頭がいいというのは、多くの場合、結局、バランスが取れていて、社会的適応が色々な局面で出来る、ということ。逆に、何か一つのことに秀でている天才が社会的には迷惑な人である、というのは珍しい話ではありません。

脳のモデル

こうした特殊な能力というのは脳を調べてもわかりません。わからない理由には、そういう調べ方が一種のタブーになっているから、という面もあります。が、最大の問題は、脳というのは非常に均質なものだということです。

脳は人によってそんなに違うものではない。脳を構成しているのは、神経細胞とグリアと血管、それだけ。神経細胞というのは非常に大きな細胞です。

大きな細胞というのはタマゴもそうですけれど、栄養をとるとか、自分ひとりで生きていくのが難しい細胞なのです。それで、周りに補助的な細胞が張り付いている。グリアは脳の機能として直接には何もしておらず、神経細胞を生かすために働いているものです。

神経細胞とグリアの集合体のようなものが脳を作っていて他に必要な血管が入っている。脳を構成しているものはそれだけしかない。脳というものは複雑かというとそんなことはなくて、組織としては極めて単純なものなのです。

このへんは、「あんなに複雑な思考をするところだから作りも難しいに違いない」という風に勘違いされがちですが、そんなことは無い。ところが、そんな単純なものが意識を発生させる、というと訳がわからなくなってしまう。

ニューラル・ネット

ただ簡単だと言っても信用されないかもしれませんが、実際に、脳の仕組み、神経細胞の働きについては、既に「ニューラル・ネット」というモデルで説明がなされています。そしてこのモデル自体はかなり簡単な構造になっています。それをご説明しましょう。簡単とはいえ、なかなか専門的な話なので、「理系の話はどうも苦手で」という方はしばらく（一三七頁の「暗算のしくみ」あたりまで）読み飛ばして下さっても結構です。

脳にある神経細胞はどう働いているのか。神経細胞自体は興奮するかしないかのどちらかしかない。その二つの状態しかない。しかも、興奮しているのは非常に短い時間、一〇ミリセカンド（ミリセカンド＝一〇〇〇分の一秒）以内に起こる。その時間内に興奮が起こって終わってしまうわけです。

その興奮が、大体、音の速さくらい、一秒間に二〇〇〜三〇〇メートルという速度で線維を伝わって次の細胞に刺激を与える。その時に次の細胞は、一つの細胞からだけ刺激を受けるわけではなく、沢山の細胞から刺激を受ける。

例えば一〇〇〇くらいの細胞からいろんな刺激を受けていくのです。そしてこの刺激を受ける細胞は、刺激の総和をとって、その総和がある閾値《いきち》に達した時に、今度はその刺激を受けた細胞がシナプスを介して反応する。シナプスとは、神経細胞と神経細胞の間の接触部分のことです。

ひとつの神経細胞に一〇〇〇から一万のシナプスがあります。このシナプスには興奮性と抑制性と二種類があって、かならずしも興奮するだけではなく、逆にマイナスに働く場合もあります。

こうした神経細胞の伝達行為を擬似的にコンピュータで作ろうというのが「ニューラル・ネット」という試みです。図式的に説明すれば、神経細胞に相当するものを1番からn番まで上下に並べたタテの列を何列も並べていく。

ある刺激があった場合、このタテの列から隣の列には連絡が行くようになっています。たとえば右端a列の①が反応した場合、b列の①から⑪まで全てに、a①が反応したことが伝わります。ただし、そこに一定の係数が掛けられるようになっていて、たとえばa①が1反応した場合でも、b①〜⑪には0.1しか伝わらなかったりします。そしてこの

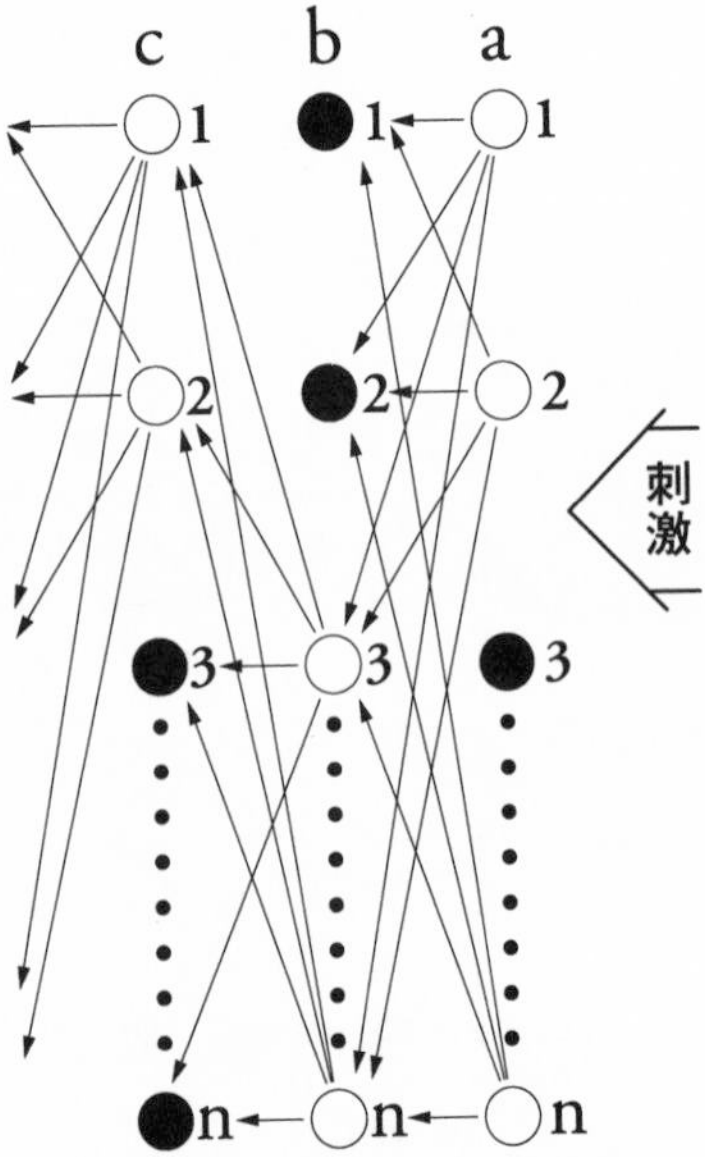

○＝刺激が閾値を超えたため反応した細胞
●＝刺激が閾値を超えなかったため
反応しなかった細胞

列の反応が、さらにその隣、c列にも伝わります。

b①からbⓝの中で、受けた刺激が一定の値（閾値）を超えたものは反応して、次の列の、c①からⓝまで刺激を伝える、という風になる。これで最終的にc列の細胞に伝わった刺激の総和が、ある一定の値を超えていれば、その神経細胞は発火して、反応をする。超えていなければ反応をしない。

ニューラル・ネットは簡単に言えば、こういう構造になっています。

しかし、これだけの単純なモデルが、脳のモデルたりうるのです。「ややこしくてよくわからない」という方は、とりあえずこのモデルによって脳の働きが説明できるということと、人間の反応は、刺激に対して神経細胞が反応するかどうかで変わる、というくらいにお考え下さい。

ともかく、この刺激が神経細胞に伝わる重みを調整すると、脳の働きのかなりの部分を再現することが出来ます。

例えば、文字を読ませること。これは単純に、文字を機械に読み取らせて反応させる、というような読ませ方ではなく、機械そのものに学習をさせていって文字を読ませることが出来るようになる。機械が間違った反応をした場合には、人間が「それは違うよ」と正します。

このニューラル・ネットトの学習曲線は、子供が字を憶える時の学習曲線とほぼ同じだということがわかっています。子供が一〇〇％文字を憶えるまでの学習曲線は、単純な右肩上がりの曲線ではなく、いったん下がって、また上がる、という特徴があります。驚いたことに、ニューラル・ネットでの学習曲線もまったく同じようにいったん落ち込んだ後に上昇する。まさに人間の脳の働きを再現したモデルだと考えられます。

意外に鈍い脳の神経

話を人間の脳に戻すと、神経細胞の興奮というのは一秒の一〇〇分の一くらいで終わってしまう。後は元の状態に戻る。この興奮の速さが頭の回転の速さに繋がるかというとまったくそんなことはなくて、これは化学的に速さは決まってしまっている。神経線維の中を刺激が伝わる速さは、前述した通り、ほぼ音速です。この速さを調べた科学者、ヘルムホルツにはこんな逸話が残っています。

彼が、研究の結果を手紙で父親に報告した時のことです。その際の父親からの返事には、「神経の伝達速度ってそんなに遅いものか」と書いてあったそうです。つまり、感覚的には光速くらいあると思っていたのでしょう。しかし実際には、意外と伝達の遅いもので私たちは物を考えているのです。

音速などという速さを「遅い」といっても、なかなかピンと来ないかもしれません。日常生活の感覚からいえば大変なスピードには違いありませんから。

しかし、例えば音が聞こえてきた時のことを考えてみて下さい。私たちは音が鳴った時に、それが右から聞こえたか左から聞こえたか、すぐにわかり、反応が出来ます。

これは神経の伝達速度が音速だということから考えていくと少々不思議なことなのです。なぜなら例えば、右側で音がしたとします。その音が右耳に入る時間と左耳に入る時間には微妙な差があります。音速は秒速三四〇メートルですから、右耳から一〇〜二〇センチほど離れたところにある左耳には、三〇〇〇分の一秒、約0.3ミリセカンドくらいのずれが生じるわけです。

ところが、その情報がシナプスを通って反応するのには、数ミリセカンドの時間がかかる。なぜならシナプスの反応というのは化学物質の放出ですから、刺激を受けて放出するまでに、そのくらいの時間がかかるのです。

つまり、実際の右耳と左耳との間の「ずれ」よりも十倍以上、反応するのにかかってしまいます。神経線維に刺激が伝わる速さと比べると、とんでもなく遅い。

方向判断の仕組み

そうすると、そんなに反応の鈍い機械で、どうして瞬時に音の来る方向を判断できるのか、ということが問題になる。私たちの脳は、どうやって音の方向を瞬時に判断しているのでしょうか。

その仕組みを簡単に解説するためには、右耳と左耳の間に一本の神経細胞のラインがあるというモデルを考えてみます。ここでは神経細胞が九九個並んだラインがある、ということにしておきましょう。

仮に、右耳に近い方の神経細胞から①、②、③……と番号を振って一番左耳に近い細胞がナンバー⑲だとします。それぞれの耳から入った刺激は右耳からのものは①から⑲の方向へ向かって伝わり、左耳からのものは⑲から①の方向へ向かって伝わっていく。その伝わるスピードは左右まったく同じです。

すると、右側からの音は、当然、右耳に先に入り、①から⑲に向かって伝わり始めます。一方、ほんの少しだけ遅れて同じ音は左耳に入り、この刺激は⑲から①に向かって伝わります。伝わるスピードは同じですから、左右からの刺激がぶつかる場所、両方から叩かれる場所は、真ん中の㊿の細胞を超えたところになります。

実はこのぶつかる場所で、私たちは音の位置を判断しているのです。つまり、ナンバー㊿以上の細胞で左右からの刺激が出会えば先に右から入った音、ということになるし、逆に㊿より手前、㊾以下のところでぶつかれば左耳に先に入った音、左側の音ということになります。ステレオの中央で音を聞くように、真ん中から聞こえてくる音は、丁度真ん中、㊿の神経細胞でぶつかることになります。

神経の伝達でいえば、軸索の中では刺激が音速で伝わりますが、その後のシナプスの反応はもっと時間がかかる。こうした速度は全て化学反応ですから、個人差があるわけではありません。

暗算の仕組み

脳についての仕組み、また反応の速さについては以上述べたようなことがわかっています。要は、脳の形状とか機能で特に個人差があるわけではない、ということです。とすると、頭の回転が速いとか、反応が速いという人がどうして存在するのか。その仕組みをどう考えればいいのでしょうか。

世間で言うところの頭の良さとか賢さということには、社会的適応性の問題が大きく関与するので難しいと書きました。第二章で触れたy＝axのaが適正かどうか、ということにもなるのですが、科学的、客観的に評価できるものではないからです。科学的には、葬式で泣いていようが笑っていようが、どちらが正しいということは出来ない。また、芥川龍之介の文章と子供の作文との優劣も、科学的に評価できるものではない。

では、数学で暗算が速い、ということは計測できそうに見えます。しかし、これまたそう簡単な話ではない。なぜなら、同じ暗算でも、人によってまったく脳の中で違う部分を使っていることがあるのです。

私は、中学生の時に校内の暗算コンクールで優勝したことがありました。その時、決勝で対戦した相手は算盤の使い手です。ご存じの通り、こういう人は頭の中に実際に算盤を浮かべて暗算をする。つまり、どこか視覚的な部分を使っていると考えられます。

一方、私は算盤は上手ではないので、普通に頭の中で計算をしていく。同じ暗算をしていても脳の中で使っている部分は違うのです。コンクールでは結果を比較するだけなので優劣を決められますが、脳の働きとしては比較のしようが無い。

よく似た例が物理学者ファインマンの著書の中にも出てきます。「一、二、三……」という風に時間をカウントする際、彼は本を読みながらでも正確に出来るという。

それを聞いた彼の友人は、「自分は本を読みながらは出来ないが、お喋りをしながら頭の中でカウントをすることが出来る」という。嘘つけ、と思ったが本当だった。そこでこの友人に、どうやってカウントをしているのかと聞くと、「頭の中で日めくりカレンダーをめくっていった」と言ったそうです。

つまりこの友人は、算盤名人と同様、視覚的に数を数えていた。ファインマンは普通に数字を脳内で数えていたから、喋りながらカウントすることは出来なかった。

イチローの秘密

とりあえず、抽象的な「頭の良さ」ではなく、客観的に測定できる「運動能力」の方で考えてみたらどうか。これも脳の「出力」には違いなく、その意味ではやはり一種の情報処理能力の問題になります。

いかにしてイチロー選手は、常人の能力を遥かに超えた「反応の速さ」を示せたか、という問題を考えてみます。投手から投げられた球を見て、手足を動かす、という行為は、脳が視覚的な刺激を受けて筋肉を動かす指令を出した、ということです。当然、それには脳のどこかで「速さ」が必要になってくる。こういうタイプの「天才」の脳の働きは、一体どうなっているのでしょうか。

普通の人と同じルートで、神経細胞から神経細胞に刺激が伝わるという行為をリレーしているだけでは、普通の反応になってしまうはずです。そうすると、普通の人より「速い」人はどうしているのか。

おそらく、このシナプスの部分をすっ飛ばしてしまっているのではないか、と仮定されます。知覚系の神経細胞から情報が入って、それが運動系の細胞に伝わるまでの間に、沢山のシナプスを経由すればするほど反応は遅れる。それが速いということは、いくつかのシナプスを途中で省略してしまっているのではないか、と考えられます。

普通ならばA→B→C→Dと進むところをA→Dという具合にBとCを飛ばしている。普通なら繋がっていないところを繋げてしまっているのではないでしょうか。

スポーツの天才は、まさにそういうことが出来る人なのでしょう。イチロー選手や松井選手の動きの説明は、こう考えないと説明がつかない。そして、こういう脳の中を一部「飛ばす」能力というのは、かなり先天的なものではないかと思われます。

脳は、往々にして運動に対して抑圧的に働きます。あくまでも一般論ですが、小学生ぐらいで活発で運動の出来る子はあまり勉強が出来ないし、勉強が出来る子は運動が苦手だったりすることが多い。

「考える」ということは、大脳皮質の中で色々と刺激を出したり入れたりゴチャゴチャやっていることです。それと運動の速さとは、別のことになる。そういう意味では、脳の働かせ方の違いによる向き不向きというか、方向性の違いが出てくる。

何事も熟考するからといって、ピッチャーが投げてから「この球は外角のカーブだから右に流し打ちすればヒットの確率は高くなる」なんて考える人はまったく打てないでしょう。

ただし、そのどちらが利口だ、バカだという風に言い切れるかというと、そういう問題ではないのは言うまでもありません。もちろん、運動能力が凄い長嶋さんが、その分、脳の他の部分を壊しているということだったら、あんな名選手にはなれない。常人と異なっているのはごく一部。非常に微妙なところでバランスがとれているのだと推察出来ます。それでも長嶋さんの言語感覚が普通の人と違うのは、優れた運動能力のためにシナプスをすっ飛ばしていることと関係があるのかもしれません。

長嶋さんに限らず、言語能力が通常と異なる人が、その代わりに大変な才能を持っているというケースは実際に珍しいことではありません。記憶力の例と同様、天才的な人が、どこかが発達している分、別のところで大きな欠如があったりするのと同じことです。

ただし、厳密にいえば、この運動で測る力にしたところで、長嶋さんとイチロー選手とが脳の別の分野を使っている可能性は十分にあります。片方は視覚で、片方は聴覚かもしれない。いずれにしてもA→Dという「すっ飛ばす作業」が行われているのだろう、としか言えません。

ピカソの秘密

天才というのはひらたく言えば、A→Dというプロセスを省略してしまったり、あるいは一部の能力に欠けている人だ、ということができます。芸術の分野でいえば、ピカソがよい例です。ピカソの絵は、一見メチャクチャに見えるかもしれません。しかしよくよく見ていくと、やはり普通の人間ではない、天才の手によるものだ、ということがよくわかります。

ピカソの絵については、岩田誠・東京女子医大教授が興味深い分析をしています。例えばキュービズム時代の絵は空間配置がメチャクチャです。鼻が横を向いていて、顔が正面向いているというのがザラですから、メチャクチャだと見られても仕方が無い。

しかし、あれは一つ一つのデッサンはかなり正確に描いている。つまり、モデルである人間や物をあちこちから見て描いたものをゴチャまぜにして合体させたようなものになっています。

通常、デッサンに必要な空間配置というのは、視覚の大事な四つの機能のうちの一つです。それが壊れたままであると、その人にとって世界は、ピカソのキュービズムの絵になってしまいます。もちろん、ピカソ自身は日常生活を普通に営んでいたし、ご存じの通り、初期には非常に正統派のわかり易い絵を残しています。では、彼はどうやって、キュービズムの絵を描けたのか。

それは別に、一人のモデルをあちこちから見てデッサンしたものをツギハギであとで組み合わせた、ということではありません。おそらく彼は意識的に、絵を描く際に、ノーマルな空間配置の能力を消し去ったのです。ピカソはそれを意識的に行っていた。病気になると、ある能力が消えて、ひとりでにピカソの絵みたいなものを描くケースがありますが、ピカソ自身は、健康なのに意図してああいう絵が描けた。

おそらく彼は自分の視覚野というものを非常に上手にコントロールできていた。頭の中のリンゴのイメージを自在に変えるということは普通の人はできない。

空間配置がグチャグチャな絵を頭の中で浮かべてみろと言ったって、特定の機能を落とすということはできないでしょう。当然、目から入ってくれば、ひとりでに普通の像が脳の中で形成されてしまう。そこを上手に抑制して、一カ所をポーンと消すと、ああいう絵になる。それを経験的にちゃんと作ることができるというのは、大変な能力です。

脳の操作

この種の天才は自分の脳を操作できる。確かに我々のように天才ではない人間も色々な意味で脳を操作している。しかし、それは、いわゆる意思というレベルのものです。

例えば、「健康に悪いから禁煙する」という類の行為に過ぎない。しかし、ピカソの場合は、普通の人間にはいじれない空間配置の能力を自在に脳の中で変えて、絵として表現することが出来たのです。

サッカーの中田英寿選手は、車を運転しながら他所《よそ》を見ていても、前が見えていると聞きます。彼も、おそらくは普通の人と空間認識の能力が異なる。

彼あたりになると、運転しながら鳥瞰図が見えているのかもしれません。即座に構成ができている。上から見て、この車はあの位置にあって、どのくらいの速さで動いているという具合に。それがわかっていれば、よそ見をしても事故は起こさない。これも常人とは異なる空間認識能力の一種でしょう。

様々なタイプがある「天才」の脳も、外見上は我々と何ら異なることはありません。運動能力や芸術家の能力については、こうした仮説を立てることが出来ますが、それにしても脳の物理的な構造によって差が出るものではない。いわんや「学業の成績」「IQの高低」といったことが脳を見てわかるというものではありません。

頭の良し悪しと脳との関連、というのはよく聞かれる問題なのですが、何をものさしにするかが規定しにくい。そのうえ、脳そのものは均質なので、外形や機能で「賢い」とか「バカ」とか判断することは実際には難しい、ということになります。

キレる脳

賢さについては、このように脳から判別していくのは非常に難しいのですが、他方、昨今問題になっている「キレる」という現象については、実はかなり実験でわかってきています。結論から言えば、脳の前頭葉機能が低下していて、それによって行動の抑制が効かなくなっている、ということなのです。

これは教育関係の研究で様々なデータが残っていて、明らかになっています。一番わかりやすい例として、信州大学教育学部が長年にわたって行っている実験があります。単純化して説明すると、こんな実験です。まず、子供の目の前に赤のランプと黄色のランプを置き、手元にはスイッチを押せるようにしておく。そして赤が点いたら何もせず、黄色が点いた時にだけ、スイッチを押すように指示をしておく。この時、スピードは競わない。ですから、子供はゆっくりでも正確に反応してくれればよいのです。

ところが、子供はどうしても手元にあるものをついつい押したがってしまう。赤ランプで押せば、当然、それは間違いということになる。この間違い率を測ることで、どのくらい正確に行動しているかがわかる、という仕組みです。

当然、正解率は小学生でも高学年の方が高くなります。ところが、約三十年前に小学校低学年が出していた正解率と、現在の小学校高学年が出している正解率とがほぼ同じ、という結果が出ているのです。簡単にいえば、この三十年間で四、五年は、発育が遅れていることになる。

この実験のポイントになっているのが「抑制」です。つまり、ランプが点いたけれども、それが赤ランプだという時には、子供は我慢をしなくてはいけません。実はこの時、前頭葉には、血液が集まっているのです。つまり、前頭葉が機能しているということです。その時には押さないで我慢をしている。

ここではスピードは競ってないのですから、簡単にスイッチを押さずに我慢をして判断するのが正解です。何ならランプが点いてから、じっくり考えて、「黄色だから押す」という風にすればよい。

それを我慢できないからついつい押してしまう。その我慢する能力の発育が三十年間で四、五年遅れていることが判明しました。

別の実験では、心理カウンセラーの三沢直子・明治大学教授が、一九八一年と一九九七年に行った比較があります。子供に「人間」と「木」と「家」の三つを絵にして下さい、と言う。その同じテーマの絵に、十六年間でかなりの傾向の差が現れた（『殺意をえがく子どもたち』学陽書房）。

例えば、昔の子の絵には、その三つのテーマについて一つのストーリーなりテーマがあった。つまり、家の中に人がいて、外に木が立っている、という当たり前の構図を描くわけです。当然、絵の中のバランスも現実に即したものになっている。人より家や木が大きくなっています。

ところが、最近の子供は、小学生にまでなっても、その三つのバランスが非常に悪い。極端に家が小さかったりする。他にも攻撃的な絵が多いといった特徴が見られるなど、昔の子供との違いが見事に現れていたそうです。こうしたことも、前頭葉の働きと関係があるのではないかと考えられます。

衝動殺人犯と連続殺人犯

キレる脳、ということについていえば、別に日本でだけ問題になっているわけではありません。アメリカでの調査結果によると、衝動殺人の犯人の脳を調べてみると、皆、前頭葉機能が落ちていたそうです。これはつまり衝動殺人犯というのは脳から見て抑制が効いていない、我慢が出来ない人だ、ということです。

反対に、連続殺人犯は、前頭葉機能が落ちていない。考えてみれば、警察に捕まらずに犯行を続けられるということは、判断力は正常じゃなきゃいけないから当然です。では、連続殺人犯の方はどこが普通の人と比べて違うかというと、扁桃体といって善悪の判断等にかかわる部分の活性が高い。そこが活発に動いているのです。

自動車に例えれば、この扁桃体は社会活動に対するアクセルで、前頭葉はブレーキにあたります。衝動殺人は、このブレーキを踏めない、即ち前頭葉がうまく機能していない人が行う犯罪。その逆で、連続殺人はアクセルの踏み過ぎ、つまり扁桃体が活発に働きすぎて犯してしまう。

ちなみに、これを調べた学者はロンドン生まれですが、「ロンドンは殺人が少ないから駄目だ」と言ってロスに引っ越して行きました。彼は、自分自身の脳も調べてみて、「自分は連続殺人犯型だ」とわかったのだそうです。

まあ彼の場合は、犯罪への旺盛な関心というか、扁桃体の活性というハンドルを研究という方向に向けたから熱心な研究者となり、良かったわけで、一歩間違えて逆の方向にハンドルを切っていたら連続殺人犯になってしまっていた、ということかもしれません。

このように、犯罪者に限らず、本当ならば、CTなどの科学技術で人間の脳を調べていくのは必要ですし、様々なことがわかるはずです。が、一方で、こうした研究には危ない面がある。つまり、社会的に危ない行為だ、と問題視される可能性があるのです。

例えば容易に想像できるのは、仮に犯罪者の脳を調べて、そこに何らかの畸形が認められた場合、彼をどう扱うべきか、という問題が生じてきます。連続幼女殺害犯の宮崎勤被告は三回も精神鑑定を受けている。彼の脳のCTをとってみればわかることだってあるのではないか。

ところが、司法当局、検察は、それをやるのを非常に嫌がります。なぜならこの手の裁判は、単に彼を死刑にするという筋書きのもとに動いているものだからです。延々とやっている裁判は、結局のところある種の儀式に近い。そこに横から、CT云々といえば、心神耗弱《こうじゃく》で自由の身ということに繋がるのではないか、という恐れがある。だから、検察は嫌がる。

犯罪者の脳を調べよ

本来ならば、そういう法律的な結論とは別のところで、彼の脳はどういう脳か、というデータはとっておくべきなのです。こういう犯罪に関しては強制的に脳の検査をされても仕方が無い、ということを法律的に決めてもよい、と思っています。それは、「こういう脳だからこの人は人を殺してもやむを得ない、だから無罪」ということにするためではありません。

犯罪者の脳について科学的にデータをとっておくということ自体は、社会にとって有用なはずです。責任能力云々ということとは別に、「反社会的行為」については脳のデータをとってもよいという合意を、社会的に形成すべきではないか、と思うのです。実際に、犯罪を犯せば、少なくとも指紋は強制的に押捺させられるのですから。

こうして集められたデータは、どのように使うことが出来るでしょうか。例えば、まだ何もやっていない若者の脳を見ることで、タイプがわかる。もちろん、危険だからといって、そこで逮捕せよという乱暴な話ではありません。しかし、脳のタイプがわかれば、それにあわせた教育も出来るようになる。

宮崎勤みたいな犯罪者が今後現れるかどうかはわかりませんが、出ないとは限らない。すると、同じような脳の持ち主に対して、警告したり、再教育したりすることが出来る。あえて言えば、見張ることも出来るのです。

こうしたやり方については様々な問題が想定され、批判されることにもなるでしょう。例えば、入社試験で脳を測定されてはねられた、訴えてやる、というケースが出てくるかもしれない。

しかし、そうした問題があるからといって、出来ないと早々に判断すべき問題でもない。実際、現実世界ではすでに身体の能力によって様々な制限が加えられているわけです。たとえば、色覚異常で「信号の赤青の区別が全く付かない」という場合は運転免許を取りづらいことがある。脳のことだけを特別視する理由はありません。

ですから、犯罪者、反社会的行為を行った人間に対しての脳の調査という問題は、私は行うべきだと思いますし、その是非について議論するというのは大切なことだと思います。

こうした調査を本当に実施するかどうかは別として、議論できるということ自体が健全なことだと思うのです。今のところ、そうした議論自体が、差別用語同様にタブーに近いものとなっている。欧米でも、この件については、そうやって脳を調べた場合、人間の自由意思をどう扱うのか、ということが問題になっているようです。

オタクの脳

昨今問題になっている無気力な子供、というのはどうか。入力にかかる係数aがゼロだから、というケースもあるでしょうが、それだけではない。実はこれも、キレる脳同様、前頭葉の問題だと考えられます。

脳に情報が入力され出力が出てくるときには、脳のなかで刺激は一遍折り返して出てくる。つまり、入力というのは自分のほうに入ってくるもので、出力は自分から出ていく。脳というのは、そのちょうど折り返し点だといえます。

具体的には、脳の中での折り返し点になっているのが、前頭葉にあたります。結局、知覚系、目や耳から入った入力が、基本的には前頭葉に集中する。前頭葉から、今度は後ろへ向かって、最終的には真ん中から出てくる。真ん中という言い方も大雑把ですが、簡単に言えば、中央の溝のあたり。その寸前が運動野という部分で、そこから最終的に筋肉へ出ていく。

そうすると、前頭葉から折り返して、前のほうを順繰りに処理されていって、最後に具体的な運動として出ていく。

我々が「意思」、もっと平たくいえば、「やる気」などと呼んでいるところに問題がある人は、この折り返し点＝前頭葉のところに問題がある。この前頭葉機能が低下している時には、無気力の状態になる。

キレる脳と同様、無気力もまた前頭葉機能の低下によると考えられます。もはやカッとしてキレることすらなく、要するに脳の中で情報が折り返してこない。その辺りで入力がゼロにされてしまっている。

誤解されやすいのですが、「オタク」と言われる人たちはまた別種です。何かと家に籠もっているという点において共通する部分があるから混同されがちではあるものの、まったく違うと考えていい。

なぜかというと、彼らは特定のことに対しての興味の示し方、つまり出力が凄いわけです。特定のことに関しては、aが大変なプラスの係数になっている。但し、そういうプラス方向で働く部分が非常に限定されている人たちだ、と考えればよい。

好きなアニメやマンガという情報に対してはaが一〇〇にも二〇〇にもなる。もちろん、普通の人だってマンガが好きな人は多いでしょうが、そういう人が一〇とか二〇とかいう係数の時に、文字通りケタ違いの興味というか、反応を示す。

ところが、一般の人が綺麗な女性に一〇〇とか二〇〇とかの反応を示すのに、彼らの係数はゼロだったりヒトケタだったりするかもしれない。この係数の偏りが極端な人が

「オタク」と称される人たちで、それは別に特殊なものではありません。いわゆる専門家の類の人には、こういうタイプが沢山いるのですから。

第七章　教育の怪しさ

インチキ自然教育

学生、ひいては教育という行為そのものに絶望的になることは多々あります。それは東大だろうが何だろうが変わりません。つくづく思うのは、第三章でも述べましたが、若い人をまともに教育するのなら、まず人のことがわかるようにしなさいと、当たり前のことから教えていくべきだということです。

別に道徳教育を強化しろということではなく、それが学問の本質に関るからです。普通に人間がやっていることぐらい一応全部やってこないと、わかるようにはならないことが、山ほどあります。

「結婚したらどうなるんですか」ということに疑問が湧くのも無理はない。けれども、そんなこと説明しても意味がない。一度してみなさいよという話でしかない。それをしないで耳で聞いても駄目なのは言うまでもありません。

おそらく、きっかけは教育へのある種の閉塞感だったのでしょう。近年、学校での「ゆとり教育」とか「自然学習」といったものが盛んに唱えられるようになりました。こうした動きは、一見、これまで述べてきた「身体」なり「無意識」なり「自然」なりを意識させることに繫がるように思えるかもしれません。

が、実際にはまったく意味がない。頭でっかちになっている。小学校で、必ず自然学習なんて言って申し訳程度に田舎に連れて行くけれども、ある種の骨抜きでしかない。

私がかかわっている保育園が、毎年一回、契約している芋畑に芋掘りに行く。ある日、そこに行ったら、隣に同じような芋畑があって、全部、葉っぱがしおれている。そこのお百姓さんに、「あれ、何ですか」と聞いたら、

「お宅と同じで、幼稚園の芋掘り用の畑ですよ」

「だけど、全部、しおれているじゃないですか。どうしてですか」

「あそこの幼稚園用の芋は、子どもが引っ張ったらすぐに抜けるように最初から掘ってある。一遍、掘って埋め直してあるからしおれているんだよ」

これでは詐欺です。そこにあるのは自然ではなくて、人為的に用意された環境のみ。これではディズニーランドやテーマパークと同じことですから。

こういう状態が異常だと思っていない。正しいと思っている。ある種の人たち、それも教育に携わる人たちは、こんなもので「自然教育だ」と威張っているのです。自分は正しいと思っているバカが一番困るという良い例です。ともあれ、こういう教育には何の意味もない。

でもしか先生

教育の現場にいる人間が、極端なことをしないようにするために、結局のところ何もしないという状況に陥っているという現実があります。実際には、物凄く厳しい先生は、生徒に嫌がられるけれど、後になると必ず感謝される。それが仮に間違った教育をしても、少なくとも反面教師にはなりうるということになる。が、最近ではそんな厳しい先生はいなくなってきた。下手なことをして教育委員会やＰＴＡに叩かれるよりは、何もしない方がマシ、となるからです。

反面教師になってもいい、嫌われてもいい、という信念が先生にない。なぜそうなったか。今の教育というのは、子供そのものを考えているのではなくて、先生方は教頭の顔を見たり、校長の顔を見たり、ＰＴＡの顔を見たり、教育委員会の顔を見たり、果ては文部科学省の顔を見ている。子供に顔が向いていないということでしょう。

よく言われることですが、サラリーマンになってしまっているわけです。サラリーマンというのは、給料の出所《でどころ》に忠実な人であって、仕事に忠実なのではない。職人というのは、仕事に忠実じゃないと食えない。自分の作る作品に対して責任を持たなくてはいけない。

ところが、教育の結果の生徒は作品であるという意識が無くなった。教師は、サラリーマンの仕事になっちゃった。「でもしか先生」というのは、子供に顔が向いていなくて、給料の出所に対して顔が向いているということを皮肉に言った言葉です。職があればいい、給料さえもらえればいいんだと、そういうことで先生に「でも」なったか、先生に「しか」なれなかった。

そういう社会で、現に先生が子供に本気で面と向かって何かやろうとしたら大変なことになってしまう。その気持ちはわかる。親は文句を言うし、校長にも怒られるし、PTAも文句を言う。自分の信念に忠実なんてとてもできません。仕方がないから適当にやろうということでしょう。

現在、こういう教育現場の中枢にいるのが所謂《いわゆる》「団塊の世代」です。大学を自由にするとか何とか言って闘ってきた年代の人がそうなっちゃっているというのはおかしなことに思えるかもしれません。が、私は学園紛争当時から、彼らの言い分を全然信用していなかった。案の定、その世代が今、教師となり、こういう事態を生んでいる。

「退学」の本当の意味

団塊の世代、戦後民主主義の世代から通用しなくなった言葉のひとつが「退学」です。かつての共同体では「退学」は復学が前提になっている、というのが暗黙のルールでした。

本来、退学と言われても担当教官が二名付いて、退学処分を受けた学生が一年通って指導を受けていれば、「改悛の情あり」とか何とか言って、復学させてもらえていた。それが退学だった。共同体というのは絶対に人を追い出さないものなのです。

そのルールがまったく常識じゃなくなったのが、団塊の世代以降。だから彼らは全共闘の頃に「退学」と言われると、本当に戻れないと思った。建前のルールだけになってしまったゆえです。

この件については、桑原武夫氏の「森外三郎先生のこと」という非常に興味深いエッセイがあり、印象に残っています。森外三郎氏は旧制三高の校長で、桑原氏の恩師です。桑原氏は大学卒業後、講師として三高に戻りました。この時も、森氏が校長でした。

その頃、昭和の初めに、同校で学生たちの大規模なストライキが行われた。結局、警察まで介入して解決したのですが、この時、森校長は五十名以上の退学者を出して処分をしました。

ところが、その後、森校長は放校者を対象とした高校の卒業検定試験を実施し、彼らを実質卒業させた。さらに、各大学を回って、放校者たちが成績良好な場合には、スト処分されたという理由だけで忌避しないように懇願してまわったというのです。つまり退学にはしたものの、救済もした。共同体として救いの手を差し伸べたわけです。

その一方で、その後、自分は責任を取って学校を辞めた。これもまた共同体というものの性質なのです。一方で信賞必罰をきちんとやるけれども、他方で、将来を傷つけるつもりはない、ということでフォローをした。

その辺がグズグズになってしまっているのが今の教育現場の状態。問題は生徒の将来ではなくて、ごく小さな共同体の論理が先行している。だから「退学」は言葉通り、生徒の追放。その後のフォローは無い。どこかリストラという形で社員を追放する会社にも似ています。

俺を見習え

そもそも教育というのは本来、自分自身が生きていることに夢を持っている教師じゃないと出来ないはずです。突き詰めて言えば、「おまえたち、俺を見習え」という話なのですから。要するに、自分を真似ろと言っているわけです。それでは自分を真似ろというほど立派に生きている教師がどれだけいるのか。結局のところ、たかだか教師になる方法を教えられるだけじゃないのか。

そういう意味で、教育というのはなかなか矛盾した行為なのです。だから、俺を見習えというのが無理なら、せめて、好きなことのある教師で、それが子供に伝わる、という風にはあるべきです。

私は、学生に人間の問題しか教えない。これは面白いことだ、と自信がある。解剖は解剖で面白いから、教えろと言われれば教えるけれど、二の次。いずれにせよ、自分が面白いと思うことしか教えられないことははっきりしている。

解剖から学べるのは、自然の材料を使ってどうやって物を考えるかというノウハウです。そこの部分は講義じゃ教えられない。学問というのは、生きているもの、万物流転するものをいかに情報という変わらないものに換えるかという作業です。それが本当の学問です。そこの能力が、最近の学生は非常に弱い。

逆に、いったん情報化されたものを上手に処理するのは大変にうまい。これはコンピュータの中だけで物事を動かしているようなものです。すでにいったん情報化されたものがコンピュータに入っているのだから、コンピュータに何をどうやって入れるかということには長けている。

情報ではなく、自然を学ばなければいけないということには、人間そのものが自然だという考えが前提にある。ところが、それが欠落している学生が多い。要するに、医者なんていうのは、逆に言えば、そういうヒトそのもの、自然そのものを愛する人じゃなきゃ出来ないのに、現状はそうではない。

東大病院で研究者が臨床へ出てくると、「一年間懲役だ」なんて言っている。要するに、患者と接するのがとんでもない苦痛、苦役だという。これでは本末転倒です。

東大のバカ学生

一番印象に残っている酷い例は、東京大学での口述試験での体験。頭の骨を二個、机の上に置いて、学生に「この二つの骨の違いを言いなさい」と聞いたことがある。すると、ある学生が、一分ぐらい黙った挙句に、答えは「先生、こっちのほうが大きいです」。「おまえ、幼稚園の入園試験でリンゴの大きさを比べているんじゃないぞ」と思わず言ってしまったのですが、そういう学生が実際にいる。愕然、呆然でした。

彼には他の差は目に入っていなかったというか、無理やり出した差がそれだけだったということになる。実物から物を考える習慣がゼロだということがよくわかった。

ここでの答えは何でもいいわけです。聞いているのは、彼の物の見方なのだから。数学の正解のようなものは存在しない。その点でいえば、「こっちが大きい」も不正解ではない。しかし、目の前に実際にある物を観察しての回答としてはお粗末としかいいようがない。

例えば、「状態から見て、こちらの方が古い」でも「こちらは若い男性で、こちらは女性だと思います」でも何でもいい。違う個体なのだから、当然、無数に違いはある。思いつくままにいくらでも言えるはずです。それが「大きいです」でおしまい。「こっちのほうが大きいです」と幼稚園児なみです。

これでは教師をやる気がなくなってしまう。そんな学生が東大を出て何年かしたら、偉いお医者さんだ、ということになるのだとすれば、責任が持てない。教師として本気でちゃんと教えろなんて言ったら、一人につきっ切りにならざるをえない。そんなコメディみたいなことには付き合えない。

ついつい、もう知らねえぞ、なんて乱暴に思ってしまうわけです。まだ、ほかの大学なら許せるかもしれない。ああ、そういう子もいるかもしれないな、と思う余地はあるが、あれだけ偏差値が高いなどと言って天下の受験生が目白押しになって入ってくるようなところに、そういうのがいるとなると、人間の選別方法そのものが何かおかしいという風にも思ってしまう。

死体はなぜ隠される

学生が頭蓋骨を見て何もわからないように、現物から学ばないというのは、全部ヴァーチャルになっているということの表れです。目の前に横たわる死体を見ていない。普通の人が死体を目の前にしたら、これは何だろうと考えると思う。もうちょっと考えれば、俺もこうなるなということが、想像力を使えばすぐわかるはずです。

それに耐えられない人が殆どです。政治は、その耐えられないものを隠していく。だから死体が隠される。しかし、それをあえて耐えてじっくり見たら、次はどうなるかというのが学問です。

実際に、死体を自分の家で棺桶に入れてみれば、だんだん固くなるし、最初は温かいけど冷たくなるし、口があいたままになっちゃうのを閉めようと思ってもなかなか閉まらないとか、いろんなことがわかる。

学生にとっては、こうした非常に生々しい感覚が必要なのです。それが、「こっちのほうが大きいです」程度しか感じられないようでは駄目。全然、目が見えてない。こっちのほうが大きいということがわかるのも、少しは役に立つ能力でしょうが。

この話をしても、「それはそういう学生もいるよ」で済ませる教師も大勢いるのが現状です。しかし、私の場合は、結構、こんなことがこたえてしまった。「えっ？　俺が教えているのはこういう学生なのか……」とショックを受けてしまった。

こういう傾向は、近年、偏差値重視になってから顕著になったと考えて間違いない。いくら何でも、私たちの世代に、そこまで超越的な人格というのはいなかったと思います。

昔の学生はもう少し下世話だった。つまり、現物から情報を起こしてくるのは当たり前だと思っていた。

私が教養学部の学生のときに赤線が廃止になった。廃止になったその日に、今日で赤線が終わってしまう、というのが教室の話題になっていた。要するに、どういうものであるかというのを自分で体験してみようというのがあった。

良し悪しはともかく、そうした類の好奇心は当然あったのです。別に実際に女を買う、買わないは別にしても、赤線のような所を彷徨《さまよ》うという体験があった。そういう世界が消えてしまうのはどうか。一種の知的好奇心というか、無責任と言えば無責任なのですが、己の日常とは別の世界を見て自分で何か考える。こういう姿勢が当たり前だったように思います。

身体を動かせ

ですから、授業をしている身で言うのも矛盾していますが、学生には常々こんな風に言っています。

「こんな穴蔵みたいな教室で、俺みたいな爺いの考えを聞いているんじゃない。さっさと外へ行って、体を使って働け」と。そのほうが絶対にまともだと思うのです。

実際には、彼らは働くどころか一時間目から寝ていたりするのですが。これはもう意識的世界が中心になっているということなのです。

意識的世界なんていうのは屁みたいなもので、基本は身体です。それは、悪い時代を通れば必ずわかることです。身体が駄目では話にならない。

腹が減っては戦《いくさ》はできない、というのは真理です。江戸の侍が「武士は食わねど高楊枝」と言うけれども、そんなものは江戸だから言えたことに過ぎない。侍が飯食わないで侍の仕事ができるかといえば、答えは明白。天下太平になってしまっているから、そこら辺に気がつかなくて呑気に言っていただけ。

子供が今育っている環境は、私たちが育った環境と非常に違う。テレビは生まれたときから身近にあるし、体を使わないというのが非常に目立ちます。別に生物として子供が運動嫌いになってきたというわけではない。実際には子供たちを連れて山に行くと本当によく動いている。もともと子供は放っておいても動くものなのです。

部屋に籠もっているのは、単に動き回る、暴れまわる機会が与えられていないだけだ、ということが逆によくわかる。大人にしてみれば、危ないから家の中で何かをしてくれたほうがずっといいなんてつい考えてしまう。それで団地なんかにいたら、虫に会うわけでもないし、何にもない。そうすると、ちょっと子供は不自然に育ってしまう気がする。

別にそれは都会の子に限らない。田舎の子だからそれができるかというと、全然できない。極端な話、都会の子が夏休みになって田舎に来ると、初めて近所の川に一緒に行くなんてことがあると聞きます。

育てにくい子供

タブーが多いとはいえ、脳と教育の関係については今後徹底的に調べなくてはいけないと思います。現在、二つのプロジェクトが進行しています。ひとつは文部科学省の「教育と脳」に関するプロジェクトで、もうひとつがNHKの「子供によいメディア」をテーマにしたもの。両方とも、子供の発育と脳、というテーマです。

子供の脳を調べるにあたって注意すべきは、その手法です。従来の調査では、小学校五年生を皆調べて、同時に小学校一年生も調べる、というやり方でした。これは横断的なやり方といいます。この場合、個性に類すること、そういう違いが消えてしまう。

例えば、身長、体重を調査するとしても、ひとりひとりその発育、伸び方は違うけれども、そういうところは把握出来ない。ただ、五年生と一年生の平均の違いがわかるだけです。

しかし、これが同じ人間をずっと追うという手法をとった場合はどうかといえば、何か起こった時に、それが起こる以前にあった現象と、統計的に相関関係が取れるようになる。これは同じ個体を追いつづけないと、意味が無いのです。

こうした手法で、実際に厚生省で調べた結果として、高校生になって非行に走った子供について遡って調べると、ひとつの傾向が統計的に見られました。同じ人、家族に継続してアンケートを取る、という手法でしたが、ここで見られたのは、大きくなって非行に走った子供は三歳までに母親が、「この子は育てにくい子だ」と書いていた率が高い、ということでした。すると、こうした子には親子の人間関係にその頃から問題があった、ということがわかるわけです。

もちろん、これだけでは、本当にその子が育てにくい子だったのか、それとも親子関係や母親に問題があったのかはわかりません。それを調べるには、さらに細かい質問をしておいて、それとの相関関係を調べなくてはいけない、ということになる。この調査の難しいところは、開始の時点で予め《あらかじ》、測ることをきちんと細かく決めておかないといけないというところです。当然、大変な手間がかかります。

赤ん坊の脳調査

ですから、こうした調査は数千人単位、すなわち国家規模で行わなくては意味が無い。実は教育の問題というのはこうした科学的な調査をきちんと行わなくてはいけないのに、殆どそれがなされていない。そして科学的調査抜きで考えるから常に素人談義のレベルを抜け出ない。文部科学省の役人に払う給料があったら、省を潰してこちらの方に回したほうが、よほど役に立つはずです。

むろん、この研究も突き詰めて考えると、さらなる問題に突き当たります。その個人の背景となる時代というのは一回しかない。昭和二十年生まれの人の二十年間と、四十年生まれの人の二十年というのは、当然変わってくる。こういう研究でわかった結果そのものも、その時代の子供にしか当てはまらない、という可能性もあるのです。それでも、調べていくべきだと思っています。

さらに最近では、アンケートという原始的な手法に頼らなくても、現代では技術の進歩のお陰で、科学的に測定することも可能になった。日立が開発した「光トポグラフィー」という技術があります。頭にオウム真理教が使っていたヘッドギアみたいなものをかぶせて、赤外線によって脳のどこに血液が集まっているかを調べることが出来る。この装置ならば、かぶせるだけで何の痛みもないから、子供の脳の測定も非常にやり易い。CTとかMRIとかそういう装置の場合、子供におとなしく受けさせるのは大変な骨なのです。

この装置を赤ん坊につけてみる実験がフランスで行われた（どうも、この種のことをする場合、日本では何だか親などが色々とうるさいようです）。すると、こんなことがわかりました。テレビのニュースで母国語が流れているのを聞くと、赤ん坊でもちゃんと、言語を司る左脳に血液が集まっているというのです。

今度はそのテープを逆回しして聞かせるとどうなるか。そうすると、何と、殆ど血液が集まらない。逆回しにして意味の無い音の連続になったものに対しては、赤ん坊も反応をしない。まだ言葉を覚えないうちから、脳は無意味な音と言葉とを区別して反応しているのです。

第八章　一元論を超えて

合理化の末路

これまで「バカ」について、また思考停止を招いている状況、あべこべの状況について述べてきました。現代人がいかに考えないままに、己の周囲に壁を作っているか。そもそもいつの間にか大事なことを考えなくなってしまっていることを指摘してきました。

しかし、「どこがおかしいかはわかったが、じゃあどうすればいいと言うのか」という疑問が、当然、次には出てくるでしょう。フランクルの言葉を借りて、「人生の意味を考える」必要性についてはは触れました。

それはすなわち、どういう社会なり共同体が私たちにとって望ましいのか、またはどういう状態を私たちは幸福だと感じるのか、というテーマになる。

我々は今日まで一生懸命、単調な社会を延々と作ってきた。例えば、かつては働かなくても食える状態に近づきたいという気持ちが共通の原動力となって、これだけ生活が便利になった。

以前なら、十軒で耕していた田んぼを今は一軒でやっている。そうすると、九家族は遊んでいるわけです。農村人口が減っていくのは当たり前で、合理化すれば、九家族は別なことをしなければいけない。機械化等の合理化によって、一家族が働いただけで、かつてなら十家族が働いていただけの上がり、収穫が出てしまう。今よりさらに肥料をよくして、機械をよくすれば、もっと収穫が上がるかもしれない。

では、その遊んだ分は一体どうするのかということを本当に考えてきたか。合理化、合理化という方向で進んできて、今もその動きは継続している。が、それだけ仕事を合理化すれば、当然、人間が余ってくるようになる。

この余ってきたやつは働かないでいいのか。仮に、その分は働かなくていいという答えを出すのなら、今度は働かない人は何をするかということの答えを用意しなければいけない。

退社後、毎日が日曜日で何もすることがない老人は、それに近い状態です。しかし、彼を理想の境遇だという人は最早なかなかいない。そのへんのことをまったく考えないまま、よく言えば無邪気に、悪く言えば無責任でここまで来た。にもかかわらず、いまだに合理化と言っている人の気が知れない。

カーストはワークシェアリング

日本を始めとした先進国とは逆に、インドは、まったく合理化しないという方策をとっています。極端にいえば、鉛筆を落としても落とした人は拾わない。別にそれを拾う階層がいる。

これは、最近の言葉でいうところの「ワークシェアリング」が行われているということです。実はカースト制というのは完全ワークシェアリングです。本来なら一人でやれるような仕事を細分化して、それぞれの階層に割り振っているのですから。インドではそういうワークシェアリングを固定してしまった。

もちろん、日本にそれを導入しろと言うのではありません。しかし我々は、何をどうシェアすべきかを真面目に考えるべきです。これは所得の再配分というふうに言いかえてもいいのですが、それだけではなくて仕事の配分をしなくてはいけない。

純粋に機能主義をとれば、その人でなくては出来ないことというのが、仕事によっては確かに存在している。その人にそれをやらせるとしても、それに対してどれだけの人がそれをサポートして、そこから上がってくる収入なら収入をどういうふうに分配するかというのが、これからの社会の公平性を保つ上で非常に大きな問題です。

それが、具体的にどういうふうな形であらわれる社会が理想なのか、私自身にも、まだ答えを出せていないところがあります。ただ、戦後、我々が理想としてきた、働かないでも食えるということイコール理想の状態ではないということが歴然と見えてきたということは言える。

「働かなくても食える」の究極の形がホームレスだとも記しました。社会がいまだにどこか遅れているからホームレスが出てきてしまうのか、それとも社会の本来、健全な姿は、それぞれの人が何らかの形で働いている状態なのか。随分、基本的なことですが、その問題をもう一遍、我々は問い直す必要があるのです。

オバサンは元気

事はホームレスだけでは納まりません。家庭の主婦についても、家事労働がかつてよりも遥かに楽になってしまった。飯炊きはボタンを一回押すだけ、研《と》がずに炊ける米だって出てきた。洗濯だって似たようなものです。

それでもどういうわけか、「家事は無限にある」「男にはわからないけれど家事は大変なのよ」と、奥さん方は言います。確かにそうなのかもしれませんし、それをいちいち議論すると家庭内で問題が起きるでしょうが、とりあえず暇な時間が増えたのは間違いない。

そこまで女性を暇にして、女性に対して次に何を与えるか。あるいは、女性がその暇を利用してどういうことを作り出していっているか。次はその問題になってくる。するとと、家事労働を随分楽にすることによって、女性は、ただ単純に楽になってしまっただけという結論が出てくる。面白いのは、暇になったオジサンがぐったりするのに対して彼女たちは元気になる。

何だかんだいっても彼女たちにはやるべき家事は残されている。さらには、そのため身体だって使うことになる。そのへんが男との違いでしょうか。

ともかく、とりあえず無闇に元気になったオバサンは近所の人と出かけまくる。私の家の近所、鎌倉あたりを散策し、高級レストランでランチをとる。皆でワイワイ紫陽花《あじさい》を見る。

少なくとも、あれだけオバサンというか女性が元気なのを目の当たりにすると、日本は、かなり理想的な社会を今のところは実現しているようにも見えます。戦争はないし、不況で少々状況は変わったとはいえ、世界第二位の経済大国にまで登りつめた。では結局、平均的人間というのは一体どれだけのことが保障されれば幸せなのでしょうか。

欲をどう抑制するのか

人間をどういう状態に置いたら一番幸せなのか、ということは、政治が一番考えていくべきテーマです。実際には学者、哲学者が議論することが多いようにも思えますが、これにはあまり意味が無い。しみじみ思うのですが、学者はどうしても、人間がどこまで物を理解できるかということを追究していく。言ってみれば、人間はどこまで利口かということを追いかける作業を仕事としている。逆に、政治家は、人間はどこまでバカかというのを読み切らないといけない。

しかし、大体、相手を利口だと思って説教しても駄目なのです。どのぐらいバカかということが、はっきり見えていないと説教、説得は出来ない。相手を動かせない。従って、多分、政治家は務まらない。

このように、学者と政治家とはまったく反対の性質を持っている。学者が政治をやってうまくいくわけがないというのは、人間を見損なう、読み損なうことになりがちだからです。

つまり、プラトンが言うところの「哲人政治」というものは成り立たない。なぜなら、プラトンは学者だから、人間、どこまで利口かということを考えて、利口な人に任せたらいい、と考える。

しかし、現実はそうではない。多数を占めているのは普通の人だから、普通の人がどの程度で丁度いいのかをしっかり見据えておかないと、間違ったほうへ行ってしまう。私が、昔のことを何度も持ち出すのは、昔の人は、そういうことを考えていたからです。まず、考えられてきたのは欲の問題。欲というのは、現代社会ではあまり真剣に議論されていない。欲を欲だと思っていない人が非常に多い。欲を正義だと思っている。

要するに、人間の欲を善だというふうにしてしまうと、行き着く先は、鈴木宗男氏とか、いわゆる金権政治家みたいになってしまう。

欲というのは単純に性欲とか食欲とか名誉欲とかではなく、あらゆる物は欲だといえる。権力指向ももちろん欲の表れでしょうが、学問では、それが理屈とか思想という形で出ているのです。ジャーナリズムにおいても、ある意味では多くの人の意見を自分たちの考えで統一しようという欲が裏にある。

結局、そう考えていくと、全てのものの背景には欲がある。その欲を、ほどほどにせいというのが仏教の一番いい教えなのです。誰でも欲を持っているので、それがなければ人類が滅びてしまうのはわかっている。しかしそれを野放図にやるのは駄目だ、と。

欲望としての兵器

欲にはいろいろ種類がある。例えば、食欲とか性欲というのは、いったん満たされれば、とりあえず消えてしまう。これは動物だって持っている欲です。ところが、人間の脳が大きくなり、偉くなったものだから、ある種の欲は際限がないものになった。

金についての欲がその典型です。キリがない。要するに、そういう欲には本能的なというか、遺伝子的な抑制がついていない。すると、この種の欲には、無理にでも何か抑制をつけなくてはいけないのかもしれない。

近代の戦争は、ある意味で欲望が暴走した状態です。それは原因の点で、金銭欲とか権力への欲望が顕在化したものだから、ということだけではない。手段の点において、欲が暴走した状態である。

なぜなら、戦争というのは、自分は一切、相手が死ぬのを見ないで殺すことができるという方法をどんどん作っていく方向で「進化」している。ミサイルは典型的にそういう兵器です。破壊された状況をわざわざ見にいくミサイルの射手はいないでしょう。自分が押したボタンの結果がどれだけの出来事を引き起こしたかということを見ないで済む。死体を見なくてもよい。

原爆にいたってはその典型です。「おまえがやったことだよ」とその場所を、爆破後一日たって見せてあげたら、普通はどんなパイロットだって爆弾を落としたがらなくなるでしょう。何せ何万、何十万という被害者が目の前に転がっているのですから。

その結果に直面することを恐れるから、どんどん兵器を間接化する。別の言い方をすれば、身体からどんどん離れていくものにする。武器の進化というのは、その方向に進んでいる。ナイフで殺し合いをしている間は、まさに抑止力が直接、働いていた。目の前にいる敵を刺せば、その感触は手に伝わり、血しぶきが己にかかり、敵は目の前で倒れていく。

異常者でもなければ、それに快感を感じることはない。だからこそ、武器は出来るだけ身体から離していきたい。その欲望を実現していき、結果として、武器による被害の規模は大きくなっていくばかりです。

経済の欲

よく似た現象が、経済の世界にも存在しています。百万円がないと首をくくった人もいれば、何億円も一瞬で稼いで、ドブに捨てるみたいに使っているやつもいる。金額の大きい方は、お金を触ってすらいない。武器でいえばミサイルとか原爆と同様の世界になっている。欲望が抑制されないと、どんどん身体から離れたものになっていく。根底にあるのは、その方向に進むものには、ブレーキがかかっていない、ということです。

金というと、何か現実的なものの代表という風に思われがちですが、そうではない。金は現実ではない。

金は、都市同様、脳が生み出したものの代表であり、また脳の働きそのものに非常に似ている。脳の場合、刺激が目から入っても耳から入っても、腹から入っても、足から入っても、全部、単一の電気信号に変換する性質を持っている。神経細胞が興奮するということは、単位時間にどれぐらいのインパルスを出すか、単位時間にどれだけ興奮するかということです。

これはまさに金も同じです。目から入っても耳から入っても、一円は一円、百円は百円と、単一の電気信号に翻訳されて互いに交換されていく、ある形を得たものです。これは、目で見ようが耳で聞こうが同じ言葉になるのと同じで、どのようにして金を稼ごうが同じ金なのです。金の世界というのは、まさに脳の世界です。

ある意味で、金ぐらい脳に入る情報の性質を外に出して具体化したものはない。金のフローとは、脳内で神経細胞の刺激が流れているのと同じことです。それを「経済」と呼称しているに過ぎない。この流れをどれだけ効率よくしようか、ということは、脳がいつも考えていることです。経済の場合にはコストを安くしてやろうという動きになる。

かつては、金を貯めて大きな家を作りたい、車を買いたいと、金と実物が結びついていた。もちろん、今でもそういうことはあるにせよ、どんどん現実から遊離していって、今は信号のやりとりだけになっている。

結果として、経済の世界には、実体経済に加えて、ほかの言葉がないのですが「虚の経済」とでもいうべきものが存在している。虚の経済とは何かというと、金を使う権利だけが移動しているということです。

ビル・ゲイツが何百億ドルかを持っているということは、彼が何百億ドルかを使う権利を持っているということに過ぎない。その権利が他人に動いたって、第三者から見れば別に痛くも痒くもない。

それが個人に集まろうが、集まるまいが、実は、大勢からみれば大して変わりがない。その権利のやりとりという面が非常に大きく扱われてしまう。それが虚の経済です。

お互いに話し合って、「おまえ、そんなに金を持っていたって使いようがないだろう。おれのほうは要るんだから、ちょっと回せ」という話し合いがつけば、それだっていい。それは虚の経済と考えられる。

実の経済

もう一つ、昔からあるのが実の経済。これは明らかに、例えば、実際に物資が動いたりするのにコストがかかって、そのコストの対価として払われている金がある。ところが、実体経済に一番大きな穴があるのはどこかというと、金というのは、政府が自在に印刷できる点です。要するに兌換券ではなくなったために、現物との関係が今、切れている。そのため、完全に信用経済になっている。『貨幣論』（筑摩書房）のなかで岩井克人氏は、「『貨幣とは貨幣として使われるものである』というよりほかにない」と書いています。金には何らかの価値の根拠があるわけではない。その金が何で通用するかというと、私が使った一万円を貰った相手が同じ一万円として使えるという思い込み、でしかない、ということです。次に、その一万円を受け取った人が相変わらず一万円として使えると思っているという、「と思っている構造」の中で通用している。これは実は裏付けがない。だから、別な言い方をすれば、紙幣の発行には限度がない。「と思っている構造」が成立する以上は幾ら刷ってもいい。

こういう状況で、考えておかなくてはならないのは、日本政府なり、世界中なりが、経済統計のみを問題にしているということです。経済統計というのは非常に不健康な部分を持っている。なぜなら現在のように紙幣が自由に印刷できるという状況だと、統計そのものが「花見酒経済」になっているからです。

樽が真ん中にあって、八《はっ》つぁんと熊さんが担いでいて、八つぁんが熊さんに十文渡して一杯飲む。次には熊さんが八つぁんに十文渡して飲む。そうすると、樽酒はどんどん減っていく。この八つぁんと熊さんの金のやりとりは、実は経済統計を極めて単純化したものです。経済はちゃんと動いている。にもかかわらず、ひたすら目の前の酒が減っている。これを経済的な発展と捉えていいのか。

仮に兌換券という考え方が正しいとすれば、最終的な兌換券の根拠となるのは何か。それはエネルギーになるのではないか。例えば、一定量の石油に対して一ドルというふうにドルを設定すると、それが恐らくは最も合理的な兌換券なのです。石油の絶対量に比例していますから、石油が切れたらアウトだということはわかっている。石油だけじゃなくて、原発一基当たりでも何でもいい。

要するに都市生活、つまり経済というのは、エネルギーがない限り成り立たない。これは大前提です。すると、一エネルギー単位が実は一基本貨幣単位だというのは、実体経済のモデルとして考えられるのではないか。

虚の経済を切り捨てよ

ヨーロッパが始めたユーロというのは、いろいろな違った社会体制、国の中で、同じ単位の金を使うということです。ユーロの目指すところは、実は世界統一通貨だと思われます。では、その世界統一通貨の基準は何か。まさか、江戸時代のように米だというわけにはいかない。世界に共通する基準というのは、エネルギー単位以外ないのではないか。これが実の経済の考え方です。

一方、だれが金を使う権利があるか、その虚のほうの経済、これは本質的に突き詰めて考えていくと意味が無くなってくる。つまり、情報と絡んでいて、正しい金の使い方というものが決まってくれれば、だれが持っていようと大して変わりがないのです。この二つの経済は、区別されていません。が、実はきちんと分けていかなければいけない。経済学者がどう言うかは知りません。しかし、実の経済と虚の経済を区別しないと、よくわからないうちに、お金は動いていますよと言われ、ああそうかと騙されているうちにエネルギーはどんどん消費され、そのうちに地球環境が破壊されていく。

乱暴に言えば、こんなことを心配しても手出しは出来ないのだから、とりあえず人間の脳から出る欲が、外的要因によって否応無く制限されるまで待つしかないのかもしれません。しかし、それをやっているうちに取り返しのつかないことが起こる可能性が高い。その代表例が環境破壊です。それを防ぐには、実の経済に根を下ろさなくてはいけないのではないか。虚の経済とは切り離してしまう。実の経済はきちんと動いているから、金の取り合いはおまえら自由にやってくれ、といいたいところです。

ところが実際には、無駄にお金を回し続けないと経済は成り立たない、という思い込みが世界の常識になっている。実の経済と虚の経済があるということは常識になっていない。つまり、八つぁんと熊さんの間で金が回っている、金が回っているのが良い状態だ、と。

しかし、実はそうではないはずなのです。実体が見えない状態で、欲のままにお金だけを回していけば、「経済は好調だ」とか何とか言っているうちに、いつの間にか目の前の酒樽は空っぽ、ということになってしまう。

神より人間

経済を「実」と「虚」に分ける考え方は、どこかこれまでに述べた「意識と無意識」「脳と身体」「都市と田舎」といった二元論に似ていることに気づかれたかもしれません。

その通りで、私の考え方は、簡単に言えば二元論に集約されます。

普段の生活では意識されないことですし、新聞やテレビもそういう観点からの議論をしませんが、現代世界の三分の二が一元論者だということは、絶対に注意しなくてはいけない点です。イスラム教、ユダヤ教、キリスト教は、結局、一元論の宗教です。一元論の欠点というものを、世界は、この百五十年で、嫌というほどたたき込まれてきたはずです。だから、二十一世紀こそは、一元論の世界にはならないでほしいのです。男がいれば女もいる、でいいわけです。

原理主義というのは典型的な一元論です。一元論的な世界というのは、経験的に、必ず破綻すると思います。原理主義が破綻するのと同じことです。

もっとも、短期的に見ると原理主義の方が強いことがある。アメリカでは禁酒法なんて無茶苦茶な法律が通ったぐらいで、この手の一方的な押し付けも一種の一元論的な考え方の産物です。しかし、そうした一元論はやがて、長い時間をかけて崩壊する。禁酒法だって無くなってしまった。

いい加減にそろそろ、それに気がついた方がいい。だから、私はいつも脳について話すのです。

「あんたが一〇〇％、正しいと思ったって、寝ている間の自分の意見はそこに入っていないだろう。三分の一は違うかもしれないだろう。六七％だよ。あんたの言っていることは、一〇〇％正しいと思っているでしょう。しかし人間、間違えるということを考慮に入れれば、自分が一〇〇％正しいと思っていたって五〇％は間違っている」ということです。

バカの壁というのは、ある種、一元論に起因するという面があるわけです。バカにとっては、壁の内側だけが世界で、向こう側が見えない。向こう側が存在しているということすらわかっていなかったりする。

本書で度々、「人は変わる」ということを強調してきたのも、一元論を否定したいという意図からでした。今の一元論の根本には、「自分は変わらない」という根拠の無い思い込みがある。その前提に立たないと一元論には立てない。なぜなら、自分自身が違う人になっちゃうかもしれないと思ったら、絶対的な原理主義は主張できるはずがない。「君子は豹変す」ということは、一元論的宗教ではありえないことです。コロコロ変わる教祖は信頼されない。

だから、都市化して情報化する。そういう世界では、ご存じのように、中近東が都市化していって、そこから一神教が出てきた。事の流れからすれば必然なのです。

百姓の強さ

もともと日本は八百万の神の国でした。『方丈記』の「ゆく河の流れは絶えずして、しかももとの水にあらず」というのも一元論ではない。我が国には、単純な一元論は無かった。

ところが、近代になって、意識しないうちに一元論が主流になっている。大した根拠や、そこにつながる文化が無いにもかかわらず、です。

一元論と二元論は、宗教でいえば、一神教と多神教の違いになります。一神教は都市宗教で、多神教は自然宗教でもある。

都市宗教は必ず一元論化していく。それはなぜかというと、都市の人間は実に弱く、頼るものを求める。百姓には、土地がついているからものすごく強い。その強さは、例えば成田闘争を見ればわかる。もう何十年も国を挙げて立ち退きを迫っても、頑として動かない。これに限らず、昔から支配者は百姓をぶっつぶそうと思って大変な苦労をしてきた。

江戸時代でも、士農工商と支配階級を固定化して、武士だけに武器を持たせ、徹底的に有利にしておいて、やっと百姓とのバランスがとれていた。そのぐらい、都会の人間というのは弱い存在なのです。

この強さは、人間にとっては食うことが前提で、それを握っているのは百姓だということに起因しています。何も難しい話ではない。終戦直後の混乱期に、高い着物を一反持っていって、米は少ししかくれないなんてことはざらでした。そんなことは、私の世代は体験的にわかっていることです。

基盤となるものを持たない人間はいかに弱いものか、ということの表れです。しかし、今は殆どの人が都会の人間になっていますから、非常に弱くなった。その弱いところにつけ込んでくるのが宗教で、典型が一元論的な宗教です。

カトリックとプロテスタント

例えば、細かいニュアンスを飛ばして簡単に分類すれば、カトリックとプロテスタントだったら、プロテスタントのほうが明らかに原理主義に近く、しかも都会型です。結局、ゲルマン民族が、キリスト教という基盤の上で改めて都市宗教として作り出したのがプロテスタントだった。カトリックというのは中世の間に、言ってみれば部族宗教、つまりゲルマンの自然宗教と融合していった宗教ですから、実質的には多神教的な面がある。イタリアの町のカトリック教会に入れば中には○○聖人が飾ってあって、マリア様の部屋があって、正面にだけイエス・キリスト。これはある意味で多神教です。

非常に一神教の色合いが強いのが、イスラム教であり、プロテスタントです。だから、イスラムとアメリカが喧嘩しているのは、こちらから見ると一神教同士の内輪もめにしか過ぎない。

一神教の人たちは、「あの人たちとは話が合わないのだから放っておきゃいい」という風では気が済まない。お互いに「あいつらは悪魔だ」と言いあっている。一歩引いて見ればお互い様なのですが。

近頃ではこういう論調で物を書くと、「あんた、反米だろ」なんて見当外れの文句を言ってくる人がいる。もちろん、そんな次元の話ではないのですが、一元論的な人には通じない。

この辺の硬直性を見ると、考え方が戦前に近くなっている人が増えているような気がする。一神教的な考え方は日本の中にだってたくさんあります。例えば戦時中の八紘一宇、世界を天皇を頂点とした一つの家と考える、なんて考え方は、その代表例です。ついこの間それをやって、こりごりしているはずなのに、また一元論で行くのか、と思う。

天皇制だって、昭和の初年ぐらいまでは、その後の太平洋戦争中ほど絶対化されたものだったとは思えない。天皇を国の一機関として捉える天皇機関説なんてものがあったくらいですから。ところが、戦争が始まってから、どんどん神格化されていった。

その頃のことを考えれば一番わかり易いのですが、原理主義が育つ土壌というものがあります。楽をしたくなると、どうしても出来るだけ脳の中の係数を固定化したくなる。aを固定してしまう。それは一元論のほうが楽で、思考停止状況が一番気持ちいいから。

人生は家康型

徳川家康は「人の一生は重荷を負うて遠き道を行くが如し」と言いました。この言葉をその通りだと思う人が、今時どのぐらいいるのかはわかりません。私は遠き道を行くどころか、人生は崖登りだと思っています。

崖登りは苦しいけれど、一歩上がれば視界がそれだけ開ける。しかし、一歩上がるのは大変です。手を離したら千仭《せんじん》の谷底にまっ逆さまです。人生とはそういうものだと思う。だから、だれだって楽をしたい。

原理主義に身をゆだねるのは手を離すことに相当する。谷底にまっ逆さまだけれど、それは離れている人から見ての状態で、本人は、落ちて気持ちがいい。それだけのことでしょう。

人生は家康型なのです。一歩上がれば、それだけ遠くが見えるようになるけれども、一歩上がるのは容易じゃない、荷物を背負っているから。しかし身体を動かさないと見えない風景は確実にある。

この「まっ逆さま」に転落している状態の代表例が、カルト宗教に身をゆだねているということです。私の見てきた学生には、オウム真理教をはじめ、随分、こういうのに引っかかっているのがいました。

こういう学生を何とかするには個人的につき合っていくしかないというのが教師としての経験則です。逆折伏《ぎやくしやくぶく》するしかない。そんな暇はないと言えばないのですが、教師という職業だと仕方がない。少しでも逆折伏につながれば、という思いがあるから、今でも教室で喋ることの何割かは、こういうことを色々な形で喋っているのです。

それがどこまで通じるのかはわかりません。そんなことを考えて、単純な見返りを求めても仕方が無い。

しかし、それを話し続けることが、少なくとも私にとっては「人生の意味」の一つだと思っている。文句を言いながらも教育の現場にいるというのは、そのために他なりません。

知的労働というのは、重荷を背負うことです。物を考えるということは決して楽なことじゃないよということを教えているつもりです。それでも、学問について、多くの学生が、考えることについて楽をしたいと思っているのであれば、そこにはやはり、もうどうしようもない壁がある。それはわかる、わからないの能力の問題ではなくて、実は、モチベーションの問題です。それが非常に怖い。

崖を一歩登って見晴らしを少しでもよくする、というのが動機じゃなくなってきた。知ることによって世界の見方が変わる、ということがわからなくなってきた。愛人とか競走馬を持つのがモチベーションになってしまっている。そうじゃなければカルト宗教の教義を「学んでいる」と言って楽をしているか。

人間の常識

話を広げれば、日本国共同体が、世界の中でどの程度、意味を持っているのかということを考え直さなくてはいけない。一元論を否定するのであれば、我々は別の普遍原理を提示しなきゃいけない。日本が、ある普遍的な原理によって立つ。それはどういう原理かということを考えていく。

一神教の世界というのは、ある種の普遍原理です。万能の神様が一人。イスラム教にせよ、ユダヤ教にせよ、キリスト教にせよ、そういう教えです。それが世界の三分の二を占めているんです。そうでない人たちはどういう普遍性が提示できるかというと、そんな大層なものを持ってはいない。

しかし、こちらは、「人間であればこうだろう」ということは考えられる。それは、普遍性として成り立つわけです。人間であれば、親しくなった人間を殺すかという話になって、それはしないだろう、という、ある種の普遍性を必ず持てるはずなのです。

今後日本がもし拠って立つとすれば、そういう思想しかない。あんまり欲をかくんじゃあない、と。もちろん、そんなことは、当たり前のことのはずです。「ビル・ゲイツさん、あんた、それだけ金を持っていてどうするんだ、俺にくれ。使い切れないだろう、どうせ、生きている間に」と、そういう話はできるはずなのです。おまえ、一〇〇%と言っているけど、寝ている間はどう思っているんだよとか、そういう議論は必ず何かしらできるはずです。

人間であればこうだろう？　という話、本書冒頭で述べた「常識」が、私は究極的な普遍性だと思っているのです。安易に神様を引っ張り出したりしない。一元論的に神様を引っ張り出すと、ある方向へ行くときは非常に便利です。有無を言わせず決めつけることができる。

一方で、「人間であればこうだろう」ということは、非常に簡単なようで、ある意味でわかりにくい。それでも、結局、そうしていくしか道は残っていないはずだ、と思うのです。イスラム教徒だろうが、キリスト教徒だろうが、ユダヤ教徒だろうが、あんた、人間でしょう、という考え方です。「人間であればこうだろう」ということは、普遍的な原理になるのではないか。

日韓共催のワールドカップで、日本の若者がイングランドのユニフォームを着て応援しました。韓国が勝ち進むと韓国も応援した。それぞれの国から見れば信じられない事態なのです。「人類皆兄弟」というと変な風に受け止められますが、人間皆同じという考え方が、日本の場合は基本的にあるのかもしれない。国境がなかったし、民族同士の殺し合いもしていないし、戦場になっていない。こうした特性を「甘い」と言うのは簡単ですが、悪いことだとは思えない。

現状は、ＮＨＫの「公平・客観・中立」に代表されるように、あちこちで一神教化が進んでいる。それが正しいかのような風潮が中心になっている状況は非常に心配です。

安易に「わかる」、「話せばわかる」、「絶対の真実がある」などと思ってしまう姿勢、そこから一元論に落ちていくのは、すぐです。一元論にはまれば、強固な壁の中に住むことになります。それは一見、楽なことです。しかし向こう側のこと、自分と違う立場のことは見えなくなる。当然、話は通じなくなるのです。

養老孟司 1937(昭和12)年神奈川県鎌倉市生まれ。62年東京大学医学部卒業後、解剖学教室に入る。95年東京大学医学部教授を退官し、現在北里大学教授、東京大学名誉教授。著書に『唯脳論』『人間科学』など。

Ⓢ新潮新書

003

バカの壁《かべ》

著　者　養老孟司《ようろうたけし》

2003年4月10日　発行
2004年4月5日　53刷

発行者　佐　藤　隆　信

発行所　株式会社新潮社

〒162-8711　東京都新宿区矢来町71番地
編集部(03)3266-5430　読者係(03)3266-5111
http://www.shinchosha.co.jp

印刷所　大日本印刷株式会社

製本所　株式会社大進堂

ISBN4-10-610003-7　C0210